BERLITZ

D0542226

FLORENCE

Une publication des Guides Berlitz

15e édition (1992/1993)

Mise à jour: 1992, 1990, 1988, 1985, 1983, 1982, 1979

Comment se servir de ce guide

● Toutes les indications et tous les conseils utiles avant et pendant votre séjour à Florence sont regroupés à partir de la page 98 sous le titre *Berlitz-Info*. Les *Informations pratiques*, dont le sommaire est au verso de la page de couverture, commencent à la page 103.

● *Florence et les Florentins*, page 6, et *Un peu d'histoire*, page 10, vous donnent une idée de l'atmosphère particulière de la cité et quelques précisions sur son passé.

● Tous les sites à découvrir sont décrits de la page 20 à la page 72. Nous vous suggérons quelques excursions d'un jour à partir de Florence, de la page 73 à la page 81. Les curiosités à voir absolument, choisies selon nos propres critères, vous sont signalées par le petit symbole Berlitz.

● Pour vous orienter dans le monde des distractions – vie nocturne et autres loisirs –, parcourez les pages 82 à 89. A partir de la page 90 et jusqu'à la page 97, vous découvrirez *Les plaisirs de la table*.

● L'index, enfin (pp. 126–128), vous permettra de repérer immédiatement tout ce que vous recherchez.

Bien que l'exactitude des informations présentées dans ce guide ait été soigneusement vérifiée, elle n'en est pas moins subordonnée à des fluctuations temporelles. Aussi ne saurions-nous assumer de responsabilité pour des modifications de faits, de prix, d'adresses ou de situations générales, toutes sujettes à variations. Nos guides étant remis à jour régulièrement, nous examinons volontiers toutes les remarques dont nos lecteurs voudraient bien nous faire part.

Texte établi par Lyon Benzimra
Adaptation française: Marguerite Favrod-Coune et Lise Graf
Photographie: Jean Mohr
Maquette: Doris Haldemann
Nos remerciements vont aussi à Simone Bargellini, à l'Office national italien du tourisme et à l'Office du tourisme de Florence pour leur aide importante lors de l'élaboration de ce guide.
4 Cartographie: Falk-Verlag, Hambourg.

Table des matières

Photo de couverture: Le Ponte Vecchio.

5

Florence et les Florentins

Il faut prendre Florence pour ce qu'elle est: l'un des phénomènes de l'Histoire. Peu de nations, et encore moins de cités, peuvent se glorifier d'un aussi écrasant déploiement de talent – tant littéraire qu'artistique et politique – concentré sur une période de trois siècles seulement. Les noms illustres de certains de ses fils, Dante, Boccace, Giotto, Donatello, Botticelli, Léonard de Vinci, Michel-Ange, Cellini, Machiavel, sont célèbres dans le monde entier.

Les guides comparent souvent la Florence de la Renaissance à l'Athènes du Ve siècle; pourtant, alors qu'il ne reste des splendeurs de la Grèce antique que de pittoresques ruines, Florence est tout autre chose qu'un simple musée de pierre, de marbre et de bronze.

De prime abord, vous serez un peu étourdi. Le regard ne sait plus où se poser tant il y a de choses à voir de tous côtés: une rangée de vitrines, une échappée sur une cour de *palazzo* à travers la grille entrouverte, une niche décolorée dans une ruelle éclairée par la flamme vacillante des lampes à huile, des anneaux scellés et des torchères plusieurs fois centenaires. Levez les yeux et vous verrez se dessiner au loin la masse imposante des *palazzi* – depuis les forteresses médiévales et les résidences seigneuriales de la Renaissance jusqu'aux palais surchargés du XVIIe siècle. Leurs noms sortent directement de l'histoire de Florence: Accialuoli, Rucellai, Strozzi, Pazzi, Salviati, Médicis.

Ici le temps ne donne pas l'impression de s'être arrêté. L'affairement du centre, sa circulation bruyante et malodorante (quoique limitée maintenant) sont bien du XXe siècle.

Pourtant, la plupart des artères principales sont aussi étroites et leurs pavés aussi irréguliers qu'autrefois.

Il est, pour franchir l'Arno, bien des ponts, dont le plus pittoresque n'est autre que le Ponte Vecchio. **7**

Construits au siècle dernier pour protéger Florence des inondations, de larges *lungarni* (quais) bordent l'Arno qui roule ses eaux boueuses et verdâtres à travers le centre de la ville. Enjambant la rivière, le Ponte Vecchio est l'un des plus anciens et des plus pittoresques ponts du monde. Dès le XVIe siècle, ses boutiques d'orfèvrerie et de joaillerie le rendirent célèbre.

La tradition artisanale, l'un des aspects fascinants de la vie florentine, est caractéristique du génie de la Cité à marier l'art et le commerce. Chaque quartier a ses artisans: cordiers, relieurs, brodeuses, ferronniers et, même, des batteurs de feuilles d'or. Dans les rues basses de la rive gauche, pleines d'«usines» à reproductions d'art, l'odeur douceâtre des vernis, de la cire et du bois vous prendra à la gorge au passage.

Vous serez peut-être déçu du comportement des Florentins, qui n'est pas «typiquement italien». En général, ils sont moins cordiaux vis-à-vis des touristes que, disons par exemple, les Napolitains ou les Romains. Leur attitude est toujours courtoise envers les étrangers, mais jamais familière.

Travailleurs, inventifs et spirituels, tels sont les Florentins. Ajoutez à ces qualités un sens inné de la dignité, une sobre élégance et un esprit vif, souvent mordant. La sauvage fierté qu'ils ont de leur ville n'a d'égale que leur remarquable capacité de réaction face à l'adversité qui fut magistralement démontrée lors de l'inondation survenue en novembre 1966 (la pire de toute l'histoire de Florence qui en compte plus de 50). Au cours de cette nuit tragique, l'Arno gonflé par des pluies torrentielles sortit brutalement de son lit, emportant tout sur son passage; à certains endroits de la ville, l'eau atteignit plus de 7 mètres de haut. Rapidement, une fange épaisse mêlée au mazout de chauffage échappé des citernes submergea tout. Des centaines de peintures, de fresques et de sculptures, plus d'un million d'inestimables livres anciens subirent d'incalculables dommages. Les habitants de Florence relevèrent le défi. Avant même que la décrue des eaux fût amorcée, ils avaient avec amour sauvé les œuvres d'art de la Cité. Ils s'attelèrent alors

Aujourd'hui encore, le Ponte Vecchio est un lieu de rencontre privilégié et très animé.

sans délai à une tâche de restauration aussi délicate qu'ardue. Cette tâche immense n'est d'ailleurs pas tout à fait terminée, même si la plupart des œuvres endommagées ont maintenant repris leur place dans les galeries et les musées florentins, après avoir subi un traitement approprié. Quoi qu'il en soit, Florence, «cité des arts» depuis le XVe siècle, rendue à sa splendeur passée, est plus que jamais prête à vous accueillir...

Un peu d'histoire

L'origine du nom de Florence, Florentia, Fiorenza, ou Firenze, n'a jamais été établie avec certitude. Certains l'attribuent à Florinus, un général romain qui, en 63 av. J.-C., campa sur le site de la future ville, d'où il

Les musiciens et leurs instruments sont prêts pour le Scoppio del Carro.

assiéga la puissante cité étrusque de Fiesole, édifiée sur une colline voisine.

Quel qu'ait été son nom, la Florence romaine prit un grand essor vers 59 av. J.-C. et devint une cité militaire et commerciale prospère. Bien que vous ne puissiez pas voir de vestiges romains à Florence (pour cela, il faut visiter Fiesole), c'est là qu'on devait retrouver tout ce qui faisait l'agrément d'une vie civilisée: depuis les bains et le forum jusqu'à des temples et un théâtre.

Les invasions barbares et la chute de l'Empire romain plongèrent l'Europe dans une longue période de confusion. Les Lombards succédèrent aux Goths. Puis l'obscurité médiévale fut brièvement illuminée, à la fin du VIIIᵉ et au début du IXᵉ siècle, par l'empire de Charlemagne. Cependant, le chaos ne tarda pas, une fois encore, à s'installer.

Toutefois, la province carolingienne de Toscane survécut à ces désordres. A la fin du XIᵉ siècle, Florence connaissait un rapide développement commercial et politique, sous le gouvernement de la remarquable comtesse Mathilde. Les grandes guildes *(arti)* des marchands de laine et de soie, des marchands d'épices, des apothicaires, etc., prirent de l'importance, et vers 1138, 23 ans après la mort de Mathilde, Florence était devenue une république libre avec laquelle il fallait compter.

A cette époque, la ville devait offrir un curieux visage. Toutes les grandes familles faisaient flanquer leurs maisons d'imposantes tours carrées en pierre (certaines atteignaient 70 mètres de haut) qui constituaient d'inexpugnables refuges lors des hostilités sans cesse renaissantes.

Guelfes et Gibelins

Florence semblait alors promise à la paix, n'eussent été les sauvages guerres de factions. Tôt ou tard, il devait y avoir conflit d'intérêts entre l'aristocratie et la classe montante des bourgeois. La noblesse s'opposait aux formes de gouvernement plus souples que les marchands souhaitaient. Les farouches luttes intestines des grandes familles et les razzias des barons-pillards sur le commerce florentin n'arrangèrent pas les choses.

Qui plus est, d'importants intérêts étrangers se trouvèrent mêlés à ces conflits. Le camp des Guelfes et celui des Gibelins, qui s'organisèrent au XIIIᵉ siècle, reçurent bientôt des appuis en dehors de Flo- **11** rence: les Guelfes étaient plutôt partisans du pape, tandis que les Gibelins regardaient du côté du Saint Empire. D'autres complications vinrent de la monarchie française qui s'intéressait particulièrement à ce qui se passait à Florence, prête à intervenir pour tirer profit des querelles fratricides.

D'autres villes toscanes suivirent l'exemple, avec leurs propres partis guelfes et gibelins, tant et si bien que, pendant plus de deux siècles, l'agitation régna dans une Toscane successivement soumise au pouvoir des aristocrates gibelins et des bourgeois guelfes. Les chefs vaincus furent exilés avec leurs familles et leurs suites, leurs biens furent confisqués ou détruits. Réfugiés dans des villes amies, ils ne tardèrent pas à comploter leur retour à Florence, et le cercle infernal recommença. Pise, Lucques, Pistoia, Sienne, Arezzo et Florence furent alternativement alliées et ennemies, selon le parti au pouvoir.

En dépit de tout cela, Florence vit le commerce et la banque se développer et l'industrie lainière prospérer. Le premier florin d'or y fut frappé au milieu du XIIIe siècle, et devint bientôt l'unité monétaire de toute l'Europe. L'évolution sociale fit également de grands pas au cours des XIIIe et XIVe siècles. La vie était dure, la population laborieuse, mais on ne laissait personne mourir de faim. Sans être une démocratie au sens moderne du terme, Florence sut communiquer à ses citoyens un sens aigu de leur citoyenneté qui reléguait au second plan les conflits de classes et de partis.

En dépit de leurs dissensions internes, les Guelfes écartèrent progressivement les Gibelins du pouvoir. Et, vers la fin du XIIIe siècle, les banquiers et les corporations de marchands et d'artisans régnaient en maîtres absolus sur Florence, assez sûrs d'eux-mêmes pour vouloir édifier un véritable siège à leur gouvernement. Ce fut l'imposant palais du Peuple (Palazzo del Popolo, appelé ensuite Palazzo della Signoria ou Palazzo Vecchio), entrepris en 1298, et qui est devenu l'actuel Hôtel de Ville de Florence. Une somptueuse cathédrale était déjà en construction.

L'aube de l'âge d'or
Les banquiers florentins, avec leurs correspondants établis dans toutes les grandes villes,

Dante expliquant la Divine Comédie, *œuvre de di Francesco, dit Michelino.*

Hommes de lettres florentins

DANTE ALIGHIERI (1265–1321), membre du clan des Guelfes, fut exilé par une faction de son parti durant les 19 dernières années de sa vie. *La Divine Comédie*, son immortel poème, voyage au Paradis par l'Enfer et le Purgatoire, marque un grand tournant dans l'histoire de la littérature. Dante y pose un double regard sur le monde, qu'il imagine partagé entre un idéal politique et social tel que l'ordre divin l'a créé, et la réalité sordide de la société corrompue dans laquelle il vit.

Traduit dans le monde entier, ce long poème n'a pas été écrit en latin savant, mais volontairement en langue toscane populaire, afin d'être compris de tous. Cette œuvre marque la naissance du toscan comme langue littéraire de l'Italie.

On se souvient surtout de Dante à cause de sa passion déçue pour Béatrice Portinari.

GIOVANNI BOCCACCIO (1313–75) était un érudit humaniste, lecteur à l'université et commentateur spécialisé de Dante. Survivant à la peste noire, il mit à profit ses expériences dans un recueil de nouvelles extraordinaires et piquantes, le *Décaméron*. Ces récits satiriques et érotiques restent vraiment un modèle du genre.

tenaient désormais les cordons de la bourse de l'Europe. L'un de ces groupes, ayant à sa tête les familles Bardi et Peruzzi, prêta à Edouard III d'Angleterre, pour financer ses campagnes contre les Français, la somme stupéfiante de 1 365 000 florins-or. Mais la soudaine et fourbe déclaration de banqueroute d'Edouard, en 1343, fit chanceler de façon inattendue toute la structure bancaire florentine.

Alors, avec une énergie sans faille, les irréductibles Florentins travaillèrent aussitôt à sauver les intérêts en jeu et à rétablir leur prestige compromis. Au mépris des troubles sociaux continuels et des violentes émeutes ouvrières, des inondations, de la famine et de la peste noire de 1347–48, qui anéantit la moitié de la population de Florence, la cité se retrouva, au début du XVe siècle, plus solide et plus riche que jamais.

La puissance des grandes familles d'affaires, les *signori,* s'avérait infiniment supérieure à celle des corporations. La voie était désormais ouverte aux Médicis, riches marchands de laine et banquiers qui allaient, durant 60 années dorées (1434–94), présider aux destinées sociales et artistiques de Florence.

Cependant, des signes précurseurs de la grande Renaissance italienne, dont Florence fut le berceau, avaient discrètement fait leur apparition avant que les Médicis n'entrent dans cet âge d'or; on redécouvrait les littératures grecque et latine tombées dans l'oubli; des historiens florentins consignaient pour la postérité les progrès de leur cité; les corporations marchandes et les nouveaux riches trouvaient même le temps de se consacrer au mécénat.

Malgré leurs luttes de factions, les Florentins entreprirent d'ambitieux travaux publics, édifiant, outre de majestueux *palazzi,* le Duomo, le campanile de Giotto, les grands monastères de Santa Croce et Santa Maria Novella, le Bargello et le Palazzo della Signoria.

La Renaissance

Le mot *Rinascimento* a été inventé par un artiste florentin du XVIe siècle, Giorgio Vasari, dont *La Vie des Artistes florentins,* d'une lecture encore passionnante, est la source de toutes nos connaissances relatives aux grands artistes italiens du XIIIe au XVIe siècle.

Le mot «Renaissance» signifie littéralement «re-naissance»: des hommes, en effet, s'éveillèrent d'un long sommeil et reprirent la vie où l'Antiquité l'avait laissée.

A travers tout le Moyen Age, l'Eglise avait exercé une influence prépondérante sur la culture européenne. Littérature, architecture, peinture, sculpture et musique étaient exclusivement les instruments du sacré. Ils glorifiaient Dieu plutôt que les plaisirs terrestres ou la beauté. L'idéal grec et romain de «l'Art pour l'Art» étant oublié, les Florentins remirent cette conception à l'honneur. Quand vous visiterez le palais des Offices, comparez la *Vierge en Majesté* de Cimabue avec le *Printemps* de Botticelli, peint deux siècles plus tard: ces œuvres sont très représentatives de l'évolution qui s'est faite du Moyen Age à la Renaissance.

En ces temps si troublés, bien des gens pensèrent que la vie devait être pleinement vécue, que la poursuite de la connaissance des choses de ce monde, de la beauté et du plaisir était ce qui comptait vraiment pour l'homme durant le bref passage sur terre qui lui était consenti. Et c'est ce but que poursuivirent les arts et les sciences de la Renaissance.

Laurent de Médicis – protecteur des Arts et des Lettres, surnommé *il Magnifico* par ses

Laurent le Magnifique: commerçant, homme politique et mécène éclairé.

contemporains reconnaissants – résumait ainsi cette période:

Quant'è bella giovinezza,
che si fugge tuttavia!
Chi vuol esser lieto sia:
di doman non c'è certezza.

Comme jeunesse est belle
mais combien fugitive!
Que celui qui veut jouir
   le fasse:
qui sait ce que sera demain.

15

La domination des Médicis

Il est surprenant que rares aient été les premiers Médicis à assumer des charges publiques. Pourtant, Cosme l'Ancien (1389–1464), munificent protecteur des Arts et des Lettres méritant bien le titre de *pater patriae* (père de la patrie) dont il fut honoré, son fils Pierre le Goutteux (1416–69), puis son petit-fils Laurent le Magnifique (1449–92), furent les véritables dirigeants de Florence, sans en avoir le titre. Tirant adroitement les ficelles par le truchement de partisans élus à la Signoria républicaine (le gouvernement), tous trois furent d'habiles politiciens.

Poète, naturaliste, collectionneur avisé, s'occupant d'architecture et se piquant de philosophie, bref, illustrant à merveille l'esprit universel de la Renaissance, Laurent fut sans doute le plus remarquable des membres de la famille Médicis. Si l'Italie fut préservée pendant un certain temps des guerres et des invasions, c'est à son habileté diplomatique qu'elle le dut.

A la mort de Laurent, en 1492, son fils Pierre prit sa place. Rustre et dépourvu de goût, il porta sans mérite le nom de Médicis; son passage sur la scène publique ne dura que deux ans. Quand Charles VIII de France, allié au duc de Milan, envahit l'Italie, Pierre s'y opposa; mais dès qu'il devint évident que les forces françaises allaient à la victoire, il changea brusquement de camp. Furieux, les Florentins le chassèrent de la ville et proclamèrent la République. C'est à cette époque que l'auteur du *Prince*, Nicolas Machiavel, en fonctions à Florence, acquit une solide expérience dans l'art de l'intrigue et de la diplomatie.

La force spirituelle cachée de cette nouvelle république allait être personnifiée par un fanatique dominicain, Jérôme Savonarole (1452–98). Prédicateur au Duomo pendant les dernières années de la vie de Laurent, il dénonça violemment devant des milliers de personnes les excès des Médicis et de leur entourage, prophétisant à la Cité des châtiments d'Apocalypse si elle ne revenait pas à une vie plus pieuse. En 1494, il ordonna un «bûcher des vanités» et, riches ou pauvres, les Florentins se ruèrent sur la Piazza della Signoria, les bras chargés de livres, de bijoux, de fards et de peintures qu'ils lancèrent dans le brasier allumé au milieu de la place. Botticelli repentant se joignit aussi à la foule et jeta quelques-unes de ses toiles dans les flammes. Cependant, Savonarole avait de puissants ennemis, tant à Florence qu'audehors (dont le célèbre pape Borgia), qui ne tardèrent pas à précipiter sa chute. Arrêté, puis condamné à mort pour hérésie, il fut pendu et brûlé sur la fameuse Piazza della Signoria.

En 1512, les deux frères de Pierre, Jean et Julien, réapparurent, mettant fin à une république vieille de 18 années. Les tombeaux des Médicis à Saint-Laurent (l'un est celui de Julien), ainsi que la superbe Bibliothèque Laurentienne, œuvres de Michel-Ange, datent de cette période. Expulsés à nouveau en 1527, les Médicis

L'exécution de Savonarole (1498) vue par un artiste de l'époque.

obstinés, soutenus par l'empereur Charles Quint, reparurent à Florence trois ans plus tard, après huit mois d'un siège particulièrement éprouvant.

C'est sous le régime du duc Cosme Ier de Médicis, de 1537 à 1574, que furent édifiés le pont Santa Trinita, les jardins Boboli, la fontaine de Neptune sur la Piazza della Signoria et le magnifique *Persée* en bronze de Cellini dans la Loggia dei Lanzi.

Une vocation nouvelle

Soumise au régime morose des grands ducs de Toscane (Médicis jusqu'en 1743, Habsbourg ensuite jusqu'en 1859), Florence sombra dans la torpeur pendant plus de trois siècles. Toutefois, dernière descendante de la famille des Médicis,

Détail de la Fontaine de Neptune érigée sur la Piazza della Signoria.

Anne Marie-Louise fit un ultime geste de générosité – digne de ses prédécesseurs de la Renaissance. Clairvoyante, elle légua à la ville de Florence l'ensemble des œuvres d'art amassées par les Médicis, pour «attirer les étrangers», et posa comme condition que rien ne serait jamais déplacé ni vendu. Et les étrangers vinrent: un flot ténu mais continu de jeunes gens privilégiés et fortunés accomplissant le Grand Tour – touche finale d'une éducation raffinée au XVIIIᵉ siècle. Puis une nouvelle espèce de visiteurs fit son apparition au XIXᵉ siècle: celle de l'«Anglais italianisant», guidée par les poètes Byron et Shelley, suivis des Browning, de John Ruskin et des préraphaélites. Les Anglais, enthousiasmés, vinrent en foule, entraînant dans leur sillage des touristes français, allemands et même russes.

Après les événements dramatiques du Risorgimento, mouvement national pour l'expulsion de l'occupant autrichien et l'unification de l'Italie, la ville connut un bref moment de gloire en devenant pour un temps la capitale du nouveau royaume d'Italie (1865–71). Mais depuis le choix définitif de Rome comme capitale, l'histoire locale se confond avec celle de l'Italie.

Le XXᵉ siècle

Passé l'enthousiasme de l'unification, l'Italie ne trouva pas les moyens d'affermir son régime et, de crise en crise, le peuple perdit confiance en son gouvernement. Durant la Première Guerre mondiale, le pays se rangea aux côtés de la France et de l'Angleterre contre l'Allemagne et l'Autriche, mais eut après coup l'impression que sa récompense n'était pas à la mesure de ses sacrifices. Profitant alors de la désintégration de la démocratie parlementaire, les fascistes de Benito Mussolini s'emparèrent du pouvoir en 1922.

Avec l'axe Rome–Berlin de 1937, Mussolini enchaîna le destin de l'Italie à celui de l'Allemagne de Hitler, entraînant son pays dans l'aventure de la Seconde Guerre mondiale. Le gouvernement fasciste tomba en 1943.

La Florence d'aujourd'hui est un centre universitaire et commercial prospère. De nombreuses industries sans rapport avec le tourisme se sont développées à sa périphérie. Conscients d'être les héritiers d'une grande tradition de créativité, les Florentins maintiennent leur cité au premier rang du monde de l'art, de la mode et de l'artisanat. **19**

Que voir

Si vous ne participez pas à un voyage organisé, où rien n'est laissé à votre initiative, prenez le temps de planifier votre séjour. Décidez au préalable des endroits que vous désirez voir absolument, sans quoi vous risqueriez de vous sentir «frustré», tant Florence mérite que vous la visitiez à loisir. Et ne cherchez pas à tout voir, même si vous ne disposez que de quelques heures.

Pour vous simplifier la tâche, nous avons divisé géographiquement la ville en cinq parties, en décrivant ce qu'elles offrent de plus intéressant. Chaque itinéraire peut être facilement parcouru à pied (d'ailleurs, les voitures sont interdites dans le centre historique).

Mais avant de partir à l'aventure, faites-vous donc une idée de la ville en participant à une visite organisée en car. Bon marché, ces tours d'orientation d'une durée de trois heures environ – le matin ou l'après-midi – constituent une excellente introduction. (Consultez à ce sujet le concierge de votre hôtel.)

Florence possède un tel nombre de musées et de galeries (près de 70, dignes d'inté-rêt pour la plupart), que nous avons dû en sélectionner les plus importants, en vous laissant le soin de faire un choix en fonction du temps dont vous disposez et de vos goûts.

A votre hôtel, ne manquez pas de vérifier les heures d'ouverture et jours de fermeture des musées: les horaires sont très variables. L'accès aux mu-

De la Piazzale Michelangelo, la vue sur Florence est superbe.

sées d'Etat est gratuit le premier et le troisième samedi du mois, ainsi que le second et le quatrième dimanche. Dans les musées municipaux, l'entrée est libre tous les dimanches.

Officiellement, la ville regroupe 24 églises historiques, y compris la cathédrale et le Baptistère. Bien qu'elles soient toutes de véritables merveilles architecturales, des mémoriaux et de remarquables œuvres d'art, vous n'aurez probablement pas le temps d'en visiter le quart. Rivalisant entre elles, les riches familles de marchands avaient, avec les Médicis, doté leurs églises préférées de nombreuses chapelles et décorations, se surpassant les unes les autres en prodigalité, occupant ainsi quantité d'artistes et d'artisans pendant des centaines d'années.

Pour la visite de certaines grandes églises où vous pouvez déambuler à votre guise, vous disposez, moyennant quelques pièces, d'un «guide sonore»

avec commentaires en diverses langues, français y compris.

The Florence Experience, film présenté en multivision et en plusieurs langues dont le français, brosse en 45 minutes un «portrait» artistique et culturel de la ville (une séance toutes les heures, à l'heure juste, au Cinéma Edison, Piazza della Repubblica).

Les rues de Florence ne sont pas larges, mais, dans le centre historique, leur tracé rectiligne et à angle droit est un modèle unique de planification urbaine à une époque où Paris et Londres étaient de véritables dédales de ruelles tortueuses. Une seule rue toutefois, la Via Bentaccordi, y fait exception, parce qu'elle suivait la courbe en fer à cheval du mur extérieur de l'ancien amphithéâtre romain. Vous pourrez facilement suivre sur un plan le tracé des anciens remparts. Ils ont été démolis au XIXe siècle et remplacés par de larges mais banales avenues résidentielles bordées d'arbres, les *viali.*

Le nom des rues à Florence évoque leur propre histoire: à la Via delle Terme (rue des Thermes) il y eut réellement des bains romains, et la Via del Campidoglio (rue du Capitole) s'enorgueillissait d'un temple dédié à Jupiter. Via degli Speziali (rue des marchands d'épices), Via dei Saponai (des Savonniers), Corso dei Tintori (des teinturiers): chaque rue était affectée exclusivement à un corps de métier.

Le Ponte Vecchio relie depuis 700 ans les deux rives de la cité toscane.

FLORENCE

les plans. Les travaux de construction débutèrent vers 1296 sur l'emplacement d'une petite église du Ve siècle et ne furent terminés que vers la fin du XVe siècle. Le revêtement de la façade ne fut exécuté qu'au XIXe siècle.

Armoiries et blasons

Florence fera le bonheur des héraldistes enthousiastes: emblèmes et armoiries des grandes familles et des corporations, des gardes de la Cité et des magistrats ornent les rues et les églises.

Le plus célèbre de tous est le blason des Médicis. Les six boules représentent, dit-on, des pilules, emblème des Médicis (*medici* veut dire «médecins»), qui étaient à l'origine membres de la corporation des marchands d'épices et des apothicaires.

La première des six boules est bleue et présente la fleur de lys de France (don de Louis XI, au XVe siècle), et les cinq autres sont rouges.

Et si les armoiries des Médicis semblent vous rappeler quelque chose, ce doit être par association d'idées: l'enseigne des prêteurs sur gages anglo-saxons en est un dérivé.

De la cathédrale au palais des Offices

Il Duomo

De son véritable nom Santa Maria del Fiore (Sainte-Marie-de-la-Fleur), la cathédrale de marbre vert, blanc et rose devait, dans l'esprit des Florentins, fiers de leur Cité, surpasser toutes les cathédrales.

Le très célèbre architecte Arnolfo di Cambio en établit

La majestueuse coupole du Duomo domine Florence. Ci-dessus: blason à la fleur de lys de la ville.

Comme la plupart des églises toscanes de cette époque, la cathédrale présente une vision purement locale du style gothique.

La grandiose **cupola** est un chef-d'œuvre de la Renaissance, dû au maître incontesté des architectes de son temps, Filippo Brunelleschi (1377–1446), qui était un grand admirateur du dôme du Panthéon de Rome, reconstruit par l'empereur Hadrien vers l'an 125.

Les Florentins, ambitieux, voulaient une coupole pour leur cathédrale. Lors d'un concours public en 1418, Brunelleschi présenta la maquette et le plan de construction qui devaient remporter le concours (l'original en bois figure au Museo dell'Opera di Santa Maria del Fiore; voir p. 30).

voir p. 30

A Florence, où l'art n'était pas uniquement une affaire de riches, la ville entière se passionnait pour ces concours.

Pratiquement terminé en 1434, le dôme magnifique –

c'était la première coupole aussi grandiose jamais érigée depuis l'Antiquité – s'offrait à la vue à des lieues à la ronde, confirmant ainsi le sentiment de fierté général que personne ne pouvait surpasser en génie et en science les hommes de la Renaissance; en particulier ceux de Florence. Son diamètre, de plus de 42 m., dépasse celui du Panthéon, de Saint-Pierre de Rome et de Saint-Paul à Londres. Vous devez absolument grimper jusqu'à la lanterne, d'où le **panorama** est saisissant.

Si la plupart des sculptures originales ornant l'intérieur et l'extérieur de la cathédrale sont depuis longtemps conservées au Museo dell'Opera di Santa Maria del Fiore, cet édifice recèle encore d'importantes œuvres d'art. Ne manquez pas de jeter un coup d'œil

D'en haut comme d'en bas, la vision de l'élégant campanile de Giotto est terriblement vertigineuse.

à la **châsse en bronze,** de Lorenzo Ghiberti, qui se trouve sous le maître-autel et contient les reliques de saint Zanobi (l'un des premiers évêques de Florence). Les vitraux ronds du Duomo ont également été dessinés par Ghiberti.

A gauche en entrant, on remarque d'insolites fresques représentant en trompe-l'œil les «monuments» de deux *condottieri* (chefs mercenaires) du XVe siècle qui combattirent pour Florence. Celui de droite fut peint par un maître de la perspective, Paolo Uccello.

Si vous avez l'occasion de vous trouver à Florence le dimanche de Pâques, ne manquez pas la traditionnelle cérémonie plusieurs fois centenaire du «Scoppio del Carro», avec son grand spectacle costumé, qui a lieu sur le parvis du Duomo. C'est de la *piazza,* et plus précisément d'un char décoré, qu'explosent les feux d'artifice. L'artificier du jour est, curieusement, une colombe. Une fausse, bien sûr! Fixée sur un fil métallique reliant le maître-autel au char, la colombe met habilement le «feu aux poudres»!

Le **campanile** (clocher), indépendant du Duomo, est l'un des plus gracieux points de repère de Florence, avec ses trois étages aux élégantes fenê-

28

tres. Il fut commencé en 1334 par Giotto, génie aux multiples facettes. L'entrée est payante, et vous aurez 414 marches à gravir pour gagner le sommet; vous en serez pourtant récompensé par une **vue** aérienne inhabituelle sur la cathédrale et la ville.

Il Battistero

Digne de conclure la visite, ce joyau de l'architecture romane servit jadis de cathédrale. Il fut probablement élevé au début du XIIe siècle sur les fondations d'un temple romain dédié à Mars, dont quelques colonnes furent réutilisées pour la construction du Baptistère. Extérieurement, l'édifice est resté inchangé depuis l'époque de Dante.

Commençant à se dégager de l'inspiration byzantine, des **mosaïques** du XIIIe siècle, à l'intérieur de la coupole, représentent des scènes de la *Création,* de la *Vie de Saint Jean-Baptiste* et du *Jugement dernier.*

La popularité du Baptistère auprès des touristes est due en premier lieu à ses trois portes de bronze: la porte Sud est l'œuvre d'un artiste du XIVe siècle, Andrea Pisano, et les portes Nord et Est ont été réalisées par Ghiberti durant la première moitié du XVe siècle.

Financée par l'une des plus opulentes guildes de marchands, la mise au concours des portes Nord et Est date de 1401. Brunelleschi lui-même avait soumis un projet, mais ce fut à l'unanimité celui de Ghiberti qui l'emporta. Vous pourrez comparer vous-même, exposées au Bargello (p. 60), les maquettes en bronze des deux artistes. La porte Est du Baptistère, que Michel-Ange appelait la **porte du Paradis** (le nom lui est resté) fait face à la cathédrale. Entre les

Sur la porte Sud du Baptistère : une scène de la Vie de St Jean-Baptiste.

petites têtes et les scènes de l'Ancien Testament qui ornent les dix panneaux principaux, Ghiberti, très fier de son œuvre, a tenu à se représenter sur la porte de gauche, deux panneaux à partir du bas, à droite.

Piazza del Duomo et Piazza San Giovanni

Deux places en une, c'est sans aucun doute pour les touristes le centre religieux de Florence. Au sud du Baptistère, l'élégante Loggia del Bigallo (XIVe siècle) faisait autrefois partie d'une fondation pour orphelins. Du même côté de la place se trouve le siège d'une des institutions sociales les plus anciennes et les plus respectées de Florence, la confrérie de la Miséricorde. A toute heure du jour et de la nuit on peut voir se précipiter hors de ses portes des silhouettes tout de noir vêtues qui sautent dans une ambulance au secours d'un enfant malade ou d'une vieille femme agonisante. Cette curieuse institution, très démocratique, a été imaginée par les Florentins plus de 600 ans avant la fondation de la Croix-Rouge ou de la Sécurité sociale. Ses membres bénévoles, venus de toutes les classes sociales, travaillent par équipes, 24 heures sur 24.

Le musée particulier du Dôme, ou **Museo dell'Opera di Santa Maria del Fiore** (Piazza del Duomo, 9), renferme quelques-uns de ses plus précieux trésors et plus originales sculptures. Il faut voir le magnifique devant d'autel en argent du Baptistère (XIVe–XVe siècle), les somptueux reliquaires en or et en argent, ainsi que la maquette en bois originale du Duomo de Brunelleschi. Ne manquez pas la déchirante **statue de Marie-Madeleine,** de Donatello, ni l'inoubliable **chœur d'enfants sculpté,** la *Cantoria,* toute de mouvement et de grâce. Lui faisant face, la *Cantoria* de Luca Della Robbia est pareillement captivante. C'est ici aussi qu'est exposée la **Pietà** inachevée de Michel-Ange; on dit que le sculpteur la destinait à son propre monument funéraire. (Pour les heures d'ouverture, voir p. 113.)

Au **Firenze com'era,** «Florence d'autrefois» (Via dell'Oriuolo, 4), un ancien monastère, vous découvrirez, outre des peintures, des gravures et des photographies qui retracent l'histoire de la ville.

Une petite halte s'impose au pied de Santa Maria del Fiore, dans ce cadre, prestigieux entre tous.

En descendant la Via de' Calzaiuoli en direction de la rivière, vous passerez devant **Orsanmichele,** probablement la seule église à double fonction au monde; son rez-de-chaussée était conçu pour le culte, et les deux étages supérieurs pour entreposer les réserves de blé de la cité. L'intérieur de l'église, mystique et mystérieux, est soutenu par des colonnes et dominé par le massif mais splendide tabernacle d'Orcagna (XIVe siècle), qui encadre un tableau miraculeux représentant la Vierge.

Adopté par les marchands et les corporations de la cité, cet édifice simple et carré a vu son pourtour embelli par des niches et des statues de style gothique à la fin du XIVe et au début du XVe siècle. Chaque guilde prit à sa charge l'exécution de l'une des 14 niches, et y fit sculpter la statue de son patron ou de son saint préféré. Au nord de l'église se dresse la statue de *Saint Georges* de Donatello (une copie, l'original se trouve au Bargello; voir p. 59). Offerte par la guilde des armuriers, elle fut l'une des premières grandes statues de la Renaissance.

On peut voir à l'ouest du bâtiment, en face du Palazzo dell'Arte della Lana, qui date du XIIIe siècle, les statues de *Saint Matthieu* et de *Saint Etienne,* de Ghiberti. Jetez un coup d'œil aux étages supérieurs *(Saloni),* impressionnants, qu'on atteint par une passerelle depuis le *palazzo.*

Piazza della Signoria

Si la Piazza del Duomo est le centre religieux de Florence, la Piazza della Signoria est au cœur de la vie sociale. La première fois, vous ne manquerez pas d'être surpris par la pureté de ses proportions ainsi que par son ampleur.

Ici, c'est le paradis des touristes: le *palazzo* lui-même, les Uffizi (les Offices), une profusion de statues, sans parler des terrasses de café. C'est sur cette place que se déroule certaines années, le 24 juin, jour de la Saint-Jean, le traditionnel *Giuoco del Calcio,* spectacle haut en couleur, avec cortège et partie de ballon en costumes du XVIe siècle. (Récemment, le *Giuoco* s'est tenu dans les jardins Boboli.) Une séance supplémentaire est donnée le 28 juin.

De dimensions inhabituelles à une époque où seules les cathédrales pouvaient être gigantesques, le Palazzo della Signoria, massif comme une forteresse, fut entrepris en même temps que le Duomo,

l'un et l'autre faisant partie d'un immense programme d'ensemble. Arnolfo di Cambio, l'architecte du Duomo, fut l'auteur des plans du futur siège du gouvernement (qui est devenu l'actuel Hôtel de Ville). Les travaux avancèrent à un rythme assez accéléré, puisqu'en 1314 l'ouvrage était terminé – 120 ans avant le Duomo.

XVIe siècle, était autrefois occupée par le *palazzo* des Uberti. La famille Uberti, un puissant clan gibelin du XIIIe siècle, et l'un des plus honnis, fut, au retour des Guelfes,

Etudiants d'une des plus vieilles universités d'Italie. A droite: Enlèvement des Sabines, *de Bologne.*

miné – 120 ans avant le Duomo.

La tour décentrée, haute de 94 m., modère la sévérité des volumes et de la pierre, et fait écho à l'asymétrie de la place. Il existe une raison pratique, quoique insolite, à cela: toute la partie de la place qui entoure la fontaine de Neptune, du

expulsée de la ville; son palais fut rasé, et le territoire qu'elle occupait fut déclaré maudit pour l'éternité. Le Palazzo della Signoria s'élève donc juste en dehors des limites de cet endroit réprouvé!

Egalement célèbre, la **Loggia della Signoria,** ou Loggia dei Lanzi, fut construite à la fin du XIVe siècle et servit tout d'abord de tribune couverte aux notables de la ville lors de cérémonies. Elle doit pourtant son nom aux *lanzi,* les lansquenets allemands et suisses de Cosme Ier, mercenaires qui l'utilisèrent comme salle de garde en plein air pendant les neuf années que devait durer leur séjour au *palazzo.* Quand Cosme se déplaça au palais Pitti en 1549, le Palazzo della Signoria devint le Palazzo Vecchio («ancien palais»).

La première de ses célèbres statues est le beau *Persée* en bronze de Cellini, placé là sur l'ordre de Cosme au début des années 1550. Celles de Jean Bologne: *Hercule luttant avec le Centaure Nessus* et *L'Enlèvement des Sabines,* furent ajoutées vers la fin du siècle. Les statues romaines du fond les y rejoignirent sur l'ordre des Médicis, vers la fin du XVIIIe siècle.

Enorme pièce de bronze, le **Persée** échappa de justesse à la catastrophe. Dans sa vivante autobiographie, Benvenuto Cellini a retracé ce moment de désespoir qu'il vécut lorsqu'il dut jeter toute sa vaisselle d'étain – 200 assiettes, pots et gobelets – dans la cuve de métal en fusion pour assurer un coulage continu dans le moule.

Toute cette statuaire faisait partie de l'ambitieux programme de décoration de la place de Cosme Iᵉʳ, et comprenait sa propre statue équestre en bronze, sculptée par Jean Bologne, ainsi que la lourde *Fontaine de Neptune,* due au talent d'Ammannati. Cosme avait même caressé l'idée grandiose de prolonger la Loggia dei Lanzi sur tout le pourtour de la *piazza.*

Les statues ont toujours occupé la plate-forme en pierre surélevée qui court le long de la façade du palais. Et le *marzocco,* ce lion emblème de la ville, est presque aussi ancien que le *palazzo* lui-même; le bronze de Donatello, *Judith et Holopherne* (maintenant installé à l'intérieur du palais), fut rapporté du palais Médicis en 1494, et le *David* de Michel-Ange y figura dès 1504. Sculpté en trois ans seulement dans un bloc de marbre géant sur lequel un artiste s'était naguère essayé sans succès, le *David* fut transporté à l'Académie en 1873 (voir p. 52) et remplacé par une copie. La version actuelle est une seconde copie datant de ce siècle. *Hercule et Cacus* est une statue plutôt grotesque

Des artistes œuvrent dans l'ombre des maîtres exposés aux Offices.

Une profusion de David

Le grand nombre de *David,* à Florence, n'est pas dû au hasard. Le personnage biblique de David, jeune, beau, intrépide, promis à de hautes destinées et vainqueur de Goliath, symbolisait parfaitement l'image que les Florentins se faisaient de leur ville.

Les Médicis demandèrent à Donatello un *David* en bronze pour la cour de leur palais. Savonarole, puritain comme il était, n'hésita pas, un peu plus tard, à faire transporter cette statue un peu trop «réaliste» dans la cour du Palazzo della Signoria, où le *David* en bronze de Verrocchio ornait déjà un escalier. Le gigantesque *David* de Michel-Ange fut commandé avec l'intention de le donner en exemple à tous – ce qui ne manqua pas d'arriver. Ce fut par milliers que les citoyens, enthousiasmés, vinrent admirer ce chef-d'œuvre.

de Baccio Bandinelli, un sculpteur du XVIᵉ siècle.

La tribune *(aringhiera)* était utilisée par les orateurs ou pour les déclarations officielles au peuple. Une dalle commémorative, sur la place, indique l'endroit exact de l'exécution de Savonarole (voir pp. 16–17).

La cour, décorée avec recherche, du **Palazzo Vecchio,** ou Palazzo della Signoria, surprend le visiteur après la sévérité médiévale de l'extérieur. (Voir HEURES D'OUVERTURE DES MUSÉES, à la p. 113.) Elle fut conçue au XVIe siècle par Vasari, qui désirait embellir la place et la rendre digne de ses maîtres, les Médicis. La fontaine au *Petit Génie ailé avec un Dauphin* (chérubin) en bronze, de Verrocchio, fut apportée de la villa de Careggi par Laurent de Médicis (l'original a trouvé sa place à l'intérieur).

Avant d'entrer dans le Palazzo Vecchio, jetez un coup d'œil sur le mur de droite près de l'angle de l'édifice: vous y verrez une silhouette humaine taillée au bas de la pierre. La légende rapporte que Michel-Ange la cisela en quelques minutes, «à l'aveuglette», les mains derrière le dos, pour tenir un pari! Voyez encore ces vieux lions de pierre poussiéreux, dans l'arrière-cour obscure du palais, qui rappellent qu'on y gardait jadis des fauves bien vivants, devenus ensuite l'emblème de Florence: le *marzocco,* que l'on voit dehors, sur la *piazza.*

Au nombre des curiosités du Palazzo figure, au premier étage, l'immense **Salone dei Cinquecento,** construit en 1496 pour le bref Concile républicain des Cinq Cents de Savo-

narole. Il fut ensuite transformé en grande salle du trône par Cosme Ier; Vasari le décora de vastes fresques illustrant les victoires de Florence et on y installa, dans une niche, la *Victoire* de Michel-Ange. C'est dans cette salle qu'allait siéger, trois cents ans plus tard, le premier Parlement national italien.

En sortant de la salle, ne manquez pas le **Studiolo,** dessiné par Vasari, un petit bijou de cabinet de travail tapissé, de son plancher jusqu'à sa voûte en berceau, de panneaux peints allégoriques (certains sont en ardoise) et orné de deux portraits, peints par Bronzino, de Cosme Ier et de son épouse.

L'appartement de Léon X (occupé maintenant par des bureaux) est décoré de fresques retraçant les hauts faits de la vie des Médicis. Au deuxième étage se trouvent les appartements d'Eléonore de Tolède, épouse de Cosme Ier; c'est une véritable débauche de dorures, de plafonds peints et de meubles précieux. Remarquez les fresques, imitations de mosaïques, de la petite chapelle.

Puis vient la **Sala dei Gigli** (salle des Lys), du XVe siècle: toute en ors et en bleus, abondamment décorée de blasons florentins, avec un magnifique plafond sculpté, une brillante fresque de Ghirlandaio, et de très belles portes sculptées aux effigies de Dante et de Pétrarque.

Dans la salle suivante se trouvent le buste en couleurs, vivant et plein d'esprit, de Machiavel, et le charmant *Génie ailé* de Verrocchio. Vient ensuite la splendide **Guardaroba**, une pièce entièrement garnie d'armoires dont les panneaux furent peints, vers 1570, de 53 cartes géographiques de la Toscane et des quatre continents (l'Australie ne devait être reconnue effectivement qu'en 1605), par deux dominicains aussi artistes qu'érudits. Cette salle abritait jadis le trésor des Médicis.

Une vertigineuse galerie surplombant le *Salone* conduit à un autre appartement, le Quartiere degli Elementi (appartement des Eléments). De la loggia, vous aurez une vue à vous couper le souffle sur San Miniato et le Belvédère.

Si vous en avez le temps, grimpez jusqu'à la galerie du chemin de ronde et, ensuite, jusqu'au sommet de la tour. De là, à près de 100 mètres du sol, le **panorama** qui s'offre au regard est le plus extraordinaire de tout Florence. Voyez aussi la petite cellule dans laquelle Savonarole fut enfermé jus-

qu'à son exécution, qui eut lieu juste en dessous (en 1498), sur la *piazza*.

A la droite du *palazzo,* le musée des Offices s'étend, en forme de U, jusqu'à l'Arno. Cet édifice fut élevé dans la seconde moitié du XVIe siècle par Vasari – sur l'ordre de Cosme –, afin d'abriter, outre la Monnaie, l'administration des Médicis (les «offices») et divers ateliers. C'est aujourd'hui l'un des plus beaux musées du monde.

Les Uffizi

Une salle par jour, tel est, dit-on, le rythme qui convient pour la visite des Offices, alors que la plupart des touristes n'ont qu'une matinée ou même moins à y consacrer. (Pour les heures et les jours d'ouverture, voir p. 113.)

Les peintures, exposées par ordre chronologique, rassemblent les productions les plus précieuses de l'art pictural italien ou étranger, du XIIIe au XVIIIe siècle. Pour éviter de quitter le musée en ayant l'impression de tout mélanger, renoncez sans scrupule à quelques-unes des 37 salles qui entourent les deux longues galeries vitrées. Décorées de sculptures romaines et de somptueuses tapisseries flamandes du XVIe siècle, ces

L'art florentin en deux mots

Se dégageant de l'influence byzantine, Cenni di Pepo, dit Cimabue (1240–1302), fut l'un des fondateurs de l'Ecole florentine, mais ce fut Giotto di Bondone (1266–1337), avec les débuts du naturalisme, qui révéla Florence comme la première ville d'art italienne.

La Renaissance fut annoncée par le peintre Masaccio (1401–28) avec ses personnages d'une puissance d'expression saisissante, suivi d'Andrea del Castagno (1423–

1457) et du maître de la perspective Paolo Uccello (1397–1475), ainsi que du mélancolique Filippo Lippi (1406–69).

Dans le domaine de l'art religieux, les peintres les plus fameux furent Fra Angelico (1387–1455), célèbre pour la pureté des lignes et de la couleur, Andrea Verrocchio (1435–88), également sculpteur, qui fut le maître de Léonard de Vinci, Domenico Ghirlandaio (1449–94), réputé pour ses fresques, l'exquis et lyrique Botticelli (1444–1510) et le fils de Fra Lippi, Filippino Lippi (1457–1504).

La peinture florentine atteignit au XVIe siècle de nouveaux sommets avec Léonard de Vinci (1452–1519), esprit universel, le génial Michel-Ange et Raphaël (1483–1520).

Les grands noms de l'architecture florentine furent Giotto, Brunelleschi (1377–1446), Alberti (1404–72) et Michelozzo (1396–1472). Les maîtres de la sculpture s'appelèrent Lorenzo Ghiberti (1378–1445), Donatello (1386–1466), Luca della Robbia (1400–82), le spécialiste de la terre cuite, et Benvenuto Cellini (1500–71), orfèvre également remarquable.

Aux Uffizi, suivez l'évolution de l'art florentin en commençant par un Giotto (ci-dessus).

galeries offrent une vue magnifique sur l'Arno et le Ponte Vecchio.

Commencez donc par les grands primitifs toscans, Cimabue et Giotto*. Dans les retables qui représentent tous deux la Vierge (peints respectivement en 1280 et 1310), la raideur de l'œuvre de Cimabue contraste avec celle de Giotto, d'une extrême profondeur d'expression et d'un réalisme d'une conception toute nouvelle.

Le plus illustre peintre de l'importante école siennoise du XIVᵉ siècle fut Simone Martini, dont vous pourrez voir l'*Annonciation,* gracieuse peinture destinée à la cathédrale de Sienne. Et parmi tous les chefs-d'œuvre du style gothique italien, ne manquez pas l'*Adoration des Mages* (1423), de Gentile da Fabriano, qui en est le plus éblouissant.

Plus loin, arrêtez-vous devant *la Vierge, l'Enfant avec Sainte Anne,* de Masaccio, première toile d'avant-garde de la Renaissance par son «réalisme»; le *Couronnement de la Vierge,* de Fra Angelico, si lumineux et animé, et *la Bataille de San Romano,* de Paolo Uccello (1456), un stu-

* L'arrangement des salles étant souvent modifié, nous n'en avons pas indiqué la numérotation.

péfiant exercice de perspective et d'étude de volumes. A voir aussi le réaliste portrait du *Duc d'Urbino,* avec ses verrues, exécuté par Piero Della Francesca.

Les peintures de la Renaissance les plus prisées et les plus souvent reproduites sont l'obsédant tableau *La Primavera* (le Printemps) et *La Naissance de Vénus,* de Botticelli. Dans son *Adoration des Mages,* d'un réalisme un peu théâtral, le peintre a donné à certains personnages les traits des membres de la famille Médicis: Cosme l'Ancien, son fils Pierre le Goutteux et ses petits-fils Laurent et Julien (ce dernier à l'extrême gauche du tableau); Botticelli s'est représenté, méditatif, vêtu d'un manteau jaune (à droite).

De l'école flamande du XVᵉ siècle, il faut noter *l'Adoration des Bergers,* un triptyque géant peint par Hugo Van der Goes en 1478 pour Tommaso Portinari, l'agent des Médicis en Flandres. L'*Adoration des Mages,* de Ghirlandaio (1487), est d'une inspiration plus gaie et plus spontanée.

Dans la salle consacrée à Léonard de Vinci, on peut voir le *Baptême de Jésus,* peint en collaboration avec son maître, Verrocchio. Seuls l'arrière-plan du tableau et l'ange de gauche sont l'œuvre du jeune Léonard de Vinci (il avait 18 ans), mais ce fut, dit-on, assez pour que Verrocchio fasse le serment de ne plus jamais tenir un pinceau! L'*Annonciation*, à peu près de la même époque, est entièrement de la main de Léonard de Vinci, de même qu'un tableau à peine ébauché, la bouleversante *Adoration des Mages*.

Dans une autre salle, la Tribune octogonale, ajoutée par les Médicis en 1589, figure les quatre éléments. Sa coupole incrustée de nacre symbolise l'eau. L'exécution de la superbe table en marqueterie, du XVIIe siècle, conçue spécialement pour cette salle, ne prit pas moins de 16 années. Voyez aussi le portrait peint par Bronzino, d'Eléonore de Tolède, l'épouse espagnole de Cosme Ier et celui de son fils, bébé joufflu et souriant.

La Naissance de Vénus, de Botticelli, commande des Médicis pour leur résidence de Castello.

Au centre, on remarque la célèbre *Vénus de Médicis* en marbre, découverte au XVIIe siècle dans la villa d'Hadrien à Tivoli. On pense que c'est une copie de l'original grec du IVe siècle av. J.-C., œuvre de Praxitèle.

Parmi les chefs-d'œuvre allemands, on trouve le *Portrait de son père* et l'*Adoration des Mages,* de Dürer; de petits portraits de Cranach, dont celui de Luther et celui de son épouse, nonne renégate, et un *Adam et Eve,* d'une facture toute germanique. Voyez l'étrange et rêveuse *Allégorie sacrée* de Bellini (vers 1490), de l'école vénitienne du XVe siècle. La seule œuvre de Michel-Ange aux Offices, la *Sainte Famille,* est un panneau rond (∼ 1505). Œuvre forte, mais traitée de façon très humaine, c'est sa première peinture connue. Tout aussi célèbres: la sereine et maternelle *Vierge au Chardonneret,* de Raphaël, et un autoportrait pensif, peint à Florence à l'âge de 23 ans. Dans la salle de Titien, voyez la voluptueuse *Vénus d'Urbino.* Ne manquez pas le *Portrait de la Femme de Rubens,* par ce peintre.

La salle de Niobé, en grande partie du XVIIIe siècle, fut construite pour recevoir les statues gréco-romaines en son centre. Accrochés au mur, deux ravissants portraits d'enfants, de Chardin.

Des paysages flamands et le splendide *Bacchus* décadent (1589) du Caravage, ainsi que le fameux *Portrait d'un Vieux Rabbin* et deux *autoportraits* de Rembrandt, parachèvent ce fabuleux itinéraire artistique.

L'autoportrait de Raphaël. L'église de San Lorenzo, sépulture de bon nombre de Médicis.

De Saint-Laurent à Saint-Marc

San Lorenzo
Vue du Borgo San Lorenzo, l'austère façade de pierre inachevée ressemble davantage à une porte de grange toscane qu'à un lieu de culte.

Première église tout entière de style Renaissance, commencée en 1419 par Filippo Brunelleschi, elle s'élève sur les fondements d'une ancienne chapelle du IVe siècle. Les travaux furent financés par les Médicis qui ne manquèrent pas de faire orner les plafonds de leur blason.

Un tour de ville en calèche? Oui, mais négociez le prix auparavant.

Nombreuses y sont les sépultures des Médicis. Cosme l'Ancien lui-même repose dans la crypte, ses parents se trouvant dans la vieille sacristie; ses deux fils, Pierre le Goutteux et Jean, sont aussi inhumés ici, dans un somptueux tombeau de bronze et de porphyre dû à Verrocchio. Les deux fils de Pierre, Laurent le Magnifique et Julien (qui fut assassiné), reposent avec leurs cousins homonymes dans la nouvelle sacristie de Michel-Ange (voir ci-contre). Les derniers grands-ducs de Médicis sont également ensevelis ici, ainsi que le génie du début de la Renaissance: Donatello. L'inté-

rieur dépouillé de l'église San Lorenzo présente un exemple frappant – pour cette époque gothique, aux flèches montant vers le ciel – d'effets de perspective horizontale d'une conception nouvelle et exaltante, réalisés avec une extrême simplicité de moyens.

Cappelle Medicee (les chapelles des Médicis, Piazza Madonna degli Aldobrandini, fermées le dimanche après-midi et le lundi). La **Capella dei Principi** (chapelle des Princes), maintenant séparée de

46

San Lorenzo, est une extravagante construction polychrome baroque du XVIIe siècle ornée de marbre et de pierres semi-précieuses, dont Cosme Ier avait projeté de faire le plus beau des mausolées pour la famille Médicis.

La **Sagrestia Nuova** (nouvelle sacristie) est, entre toutes, la chapelle que le visiteur ne doit pas manquer de voir. Elle est l'œuvre du seul Michel-Ange qui mit 14 ans à en concevoir l'intérieur et la plupart des sculptures.

Commandée en 1520 par le futur pape Clément VII (fils illégitime de Julien de Médicis) pour en faire la digne sépulture de son père et de son oncle Laurent le Magnifique, elle devait également abriter la dépouille de deux cousins récemment décédés, Julien et Laurent (dont les prénoms prêtent à confusion).

Les deux plus illustres Médicis sont ensevelis discrètement derrière la belle statue de Michel-Ange, la *Vierge à l'Enfant*, flanquée des statues de leurs saints patrons, Cosme et Damien (qui ne sont pas de Michel-Ange). Par une ironie du sort, les cousins les moins représentatifs des Médicis furent immortalisés par Michel-Ange dans les deux **monuments funéraires** les plus

célèbres de tous les temps. Un Julien idéalisé, en tenue de guerrier, est assis à droite. Sur son sarcophage aux courbes élégantes, les deux splendides figures allégoriques du *Jour* et de la *Nuit* veillent sur son sommeil. Le visage du *Jour*, qui porte visiblement la marque du ciseau de Michel-Ange, est seulement ébauché, ce qui, curieusement, rend l'allégorie d'autant plus remarquable. En face, se trouve la statue de Laurent, méditatif, au-dessus des allégories de l'*Aurore et du Crépuscule*.

Autre merveille de Michel-Ange, à gauche de l'entrée de l'église San Lorenzo: la **Biblioteca Mediceo-Laurenziana** (Bibliothèque Laurentienne). Commandée par le pape Clément VII en 1524 pour y abriter la précieuse collection de livres et de manuscrits des Médicis, et ouverte au public en 1571, c'est sans aucun doute l'une des plus belles bibliothèques du monde. (Fermé le dimanche.)

L'atmosphère médicéenne est à peine reconnaissable dans le **Palazzo Medici-Riccardi** (1, Via Cavour; fermé le mercredi), qui est devenu préfecture de police. Mais faites une halte dans le paisible jardin bordé d'orangers situé derrière la cour principale. Gravissez **47** ensuite les marches qui mènent à la petite chapelle familiale pour admirer la fresque de Benozzo Gozzoli, peinte en 1459, *Le Cortège des Rois Mages en route pour Bethléem.* L'artiste a représenté ici, en une évocation minutieuse et pittoresque, tout ce que Florence comptait de personnages célèbres, à commencer, cela va de soi, par le clan des Médicis et leurs partisans. La chapelle est toujours telle que les Médicis l'ont connue au XVe siècle. Au rez-de-chaussée, pénétrez au musée Mediciana pour y contempler – entre autres – le masque mortuaire de Laurent le Magnifique.

Le **Chiostro dello Scalzo,** ou cloître des Déchaux (69, Via Cavour), conserve des fresques qui retracent la vie de saint Jean-Baptiste, et qui furent exécutées en clair-obscur par un maître du XVIe siècle, Andrea del Sarto. (Visites momentanément suspendues pour cause de restauration.)

Les plus belles fresques, de la *Cène* à la *Résurrection*, d'Andrea del Castagno (1423–57), connu pour la vigueur et les coloris de ses œuvres, composent le **Cenacolo di Santa Apollonia** (Via XXVII Aprile, 1), dans un ancien couvent de Bénédictines. Sonnez pour être reçu.

Museo di San Marco

L'architecte du palais Médicis, Michelozzo, refit les plans de cet ancien monastère, qui fut reconstruit en 1437 pour les Dominicains, avec l'argent des Médicis. (Voir HEURES D'OUVERTURE DES MUSÉES, p. 113.)

Fra Angelico (1387–1455) y fut moine. Et on peut y voir beaucoup de ses admirables fresques et peintures, dont le grand retable, la *Déposition de Croix*. Passé le beau cloître à colonnes, au cèdre séculaire, vous découvrirez les lumineuses peintures de Fra Angelico, et dans le petit réfectoire, *La Cène*, une grande fresque pleine de vie de Ghirlandaio.

A l'étage supérieur, visitez les cellules des moines, toutes ornées de fresques d'inspira-

L'Annonciation, un thème traité moult fois par Fra Angelico. **49**

tion religieuse par Fra Angelico et ses élèves. La célèbre *Annonciation* est placée dans la cellule n° 3. Au fond du corridor se trouve la cellule réservée à Cosme de Médicis pour ses méditations; à l'autre extrémité, la cellule qui fut celle de l'ardent prédicateur Jérôme Savonarole, ennemi déclaré des Médicis. Voyez son saisissant portrait, peint par un autre moine, Fra Bartolomeo, ainsi que l'étendard religieux qu'il brandissait à travers Florence, et un tableau représentant son exécution sur la Piazza della Signoria.

Allez dans la bibliothèque à colonnes de proportions superbes, due à Michelozzo.

La grande cloche reposant paisiblement dans le cloître a eu une existence mouvementée. Offerte par Cosme de Médicis, elle était connue sous le nom de *piagnona*, «la Grande Pleureuse» et, par dérision, l'on appela les partisans puritains de Savonarole *i piagnoni*. Ayant sonné pour avertir les moines de l'approche des ennemis venus arrêter Savonarole, la cloche fut condamnée par représailles à 50 ans d'«exil» hors des murs de Florence, et fouettée durant tout le trajet à travers la ville jusqu'à son nouveau domicile…

Piazza Santissima Annunziata

Pour être admirée comme elle le mérite, l'église de la **Santissima Annunziata** ne peut être séparée du contexte de son quartier. Le mieux est d'y accéder par la Via de' Servi (du nom de l'ordre des Serviteurs de Marie, pour qui l'église fut reconstruite).

L'ensemble de la *piazza* fut vraisemblablement dessiné par Brunelleschi à l'époque où il construisait l'hôpital des Innocents (voir p. 51). L'argent des Médicis permit la réalisation du projet, et Michelozzo, l'architecte de l'église, obéit scrupuleusement à la vision originale de Brunelleschi, conférant ainsi à la place une parfaite harmonie. Même la belle statue équestre du grand-duc Ferdinand Ier (1608), de Jean Bologne, et les deux fontaines du XVIIe siècle ajoutent encore à l'unité de la place et à cette impression d'espace qui s'en dégage.

Passé le narthex de l'église, orné des fresques d'Andrea del Sarto et de quelques autres artistes, vous verrez, tout de suite à gauche en entrant, la **châsse** de l'Annonciation, du XVe siècle; elle dissimule une fresque ancienne qu'on ne montre qu'à l'occasion de certaines fêtes.

L'inhabituel chœur circulaire est du XVe siècle, tandis que la décoration intérieure surchargée date pour la plus grande part du XVIIe siècle.

La **Galleria dello Spedale degli Innocenti** (12, Piazza Santissima Annunziata) recèle des sculptures et des peintures des XVe et XVIe siècles, appartenant à l'hospice des enfants abandonnés de Florence qui fut construit sur les plans de Brunelleschi, au début des années 1400. Entre les arcades,

notez la série de médaillons en terre cuite émaillée du XVe siècle représentant de charmants bébés emmaillotés, dus à Andrea Della Robbia. (Fermé le mercredi.)

Le **Museo Archeologico** (Via della Colonna), installé dans un ancien palais grand-ducal, l'un des plus importants musées d'Italie, est réputé pour ses

Le David de Michel-Ange : la place d'honneur à la Galleria dell'Accademia.

collections d'antiquités égyptiennes et étrusques. A signaler, parmi les plus belles pièces, le *Vase françois,* décoré par un peintre grec du VIe siècle av. J.-C., deux remarquables bronzes étrusques, la *Chimère* et l'*Arringatore* (orateur), et des vestiges de construction romaine. (Fermé le lundi.)

La **Galleria dell'Accademia,** fondée par Cosme Ier, était à l'origine une école d'art. Une salle d'exposition (60, Via Ricasoli) lui fut ajoutée au XVIIIe siècle à l'intention de ses élèves. Sa collection de l'école florentine du XIIIe au XVIe siècle ne le cède en intérêt qu'à celle des Uffizi. On peut y admirer des tapisseries et des meubles précieux. (Pour les horaires, voir p. 113.)

La *galleria* abrite également sept sculptures capitales de Michel-Ange, dont le **David** original, transféré de la Piazza della Signoria en 1873 pour échapper aux intempéries.

Le **Conservatorio Musicale Luigi Cherubini** (80, Via degli Alfani) possède une importante bibliothèque musicographique renfermant de nombreux manuscrits originaux de compositeurs et une collection unique d'instruments de musique anciens commencée au XVIIe siècle par le grand-duc Ferdinand de Médicis.

Du Mercato Nuovo à Santa Maria Novella

L'attraction essentielle du **Mercato Nuovo** (ou marché de la Paille) réside dans ses éventaires où l'on vend de tout, objets de cuir, corbeilles en vannerie, etc. (voir p. 86). Mais ne manquez pas au passage une statue en bronze du XVIIe siècle, *Il Porcellino* (le porcelet). La tradition veut que vous lui donniez un petit coup sur le nez en jetant une pièce de monnaie dans la fontaine: vous serez alors assuré de revoir Florence! Au centre du marché se trouve le Batticulo, endroit où, au XVIe siècle, on battait les voleurs et les escrocs. Cela faisait plus de bruit que de mal!

Au **Palazzo Davanzati** (9, Via Porta Rossa), vous pourrez vous rendre compte de la façon dont vivaient réellement les Florentins fortunés du Moyen Age et de la Renaissance. Cet édifice du XIVe siècle se présente de façon austère de l'extérieur, mais l'intérieur est très coloré. Voyez la riche fresque en trompe-l'œil du XIVe siècle (Sala dei Pappagalli), et les meubles et peintu-

Pour revenir à Florence, jetez une pièce et tapez-le sur le museau.

res du XVe siècle qui recréent l'atmosphère propre à chaque pièce. Rien ne manque, des toilettes aux cuisines, sans omettre d'amusants graffiti sur les murs.

Sur le chemin de la Piazza Santa Trinita, découvrez l'une des plus modestes églises de Florence, **Santi Apostoli,** sur la Piazza del Limbo. La légende veut que Charlemagne lui-même l'ait construite. A l'intérieur, se trouvent quelques silex rapportés du Saint-Sépulcre de Jérusalem par un Croisé, membre de la famille Pazzi. On s'en sert pour allumer les feux d'artifice du «Scoppio del Carro», le jour de Pâques (voir p. 28).

Derrière la façade, datant de la fin du XVIe siècle, de la **Santa Trinita,** on découvre avec surprise un intérieur gothique: cette église fut élevée entre le XIIIe et le XVe sur les restes encore visibles d'un édifice plus ancien.

La chapelle Sassetti, de la fin du XVe siècle (deuxième à droite du chœur), fut décorée par Ghirlandaio de scènes de la vie de saint François. Outre le donateur et sa famille, on peut reconnaître Laurent le Magnifique et ses fils; des Florentins de l'époque figurent à l'arrière-plan.

Les familles Strozzi, Davan-

zati et Gianfigliazzi, qui vivaient dans ce quartier, dotèrent Santa Trinita de chapelles abondamment pourvues de fresques. Il en fut de même avec la famille des Bartolini-Salimbeni, dont le charmant *palazzo* du début du XVIe siècle, face à l'église, abrite le consulat de France; et avec la famille Spini, dont la résidence-forteresse du XIIIe siècle (devenue le Palazzo Ferroni) se dresse à l'angle de la *piazza*. Le **Palazzo Strozzi,** du XVe siècle, Via de' Tornabuoni, l'une des plus somptueuses résidences privées de Florence, est situé tout à côté.

En dépit de sa belle façade du XVIIe siècle, et du bas-relief attribué à Luca Della Robbia qui orne sa porte, l'**église d'Ognissanti** (église de Tous-les-Saints) fut fondée vers 1250 par les Umiliati (Humiliés), dont l'industrieuse communauté monastique remportait un succès considérable dans le commerce de la laine. Ils furent parmi les premiers qui ouvrirent à Florence la voie de la prospérité économique.

Voyez le *Saint Augustin* de Botticelli et, dans le réfectoire, le célèbre tableau de Ghirlandaio, la *Cène.* Ces deux fresques furent exécutées à la demande des Vespucci, richissime famille de marchands.

Deux Florentins en Amérique
Amerigo (1454–1512), le plus célèbre de tous les VESPUCCI, est connu de l'histoire comme l'homme qui donna son nom à l'Amérique. Banquier, homme d'affaires et navigateur, il franchit l'Atlantique sur les traces de Christophe Colomb et fut le premier à poser le pied sur la côte de l'Amérique du Nord. Colomb crut toujours qu'il avait débarqué en Asie, mais Vespucci, *lui,* sut qu'il venait de découvrir un nouveau continent. L'Amérique mérite donc bien de porter son nom.

Vingt ans plus tard, un autre navigateur florentin, Giovanni da VERRAZZANO, parti à la recherche du fameux passage du Nord-Ouest en direction de l'Asie, devait découvrir la baie de la future New York…

Santa Maria Novella
Conçue par des architectes dominicains au milieu du XIIIe siècle, Sainte-Marie-Nouvelle est l'une des plus grandes églises conventuelles de Florence.

L'harmonieuse façade de marbre marqueté du XVe siècle, commencée un siècle plus tôt en style gothique, fut achevée par un architecte de la Renaissance, Léon Battista Alberti, à qui l'on doit également les plans du très gracieux **55**

Palazzo Rucellai tout proche. Ce *n'est pas* la famille Médicis qui finança la construction de l'église, mais celle des Rucellai. Soucieux de faire connaître leur générosité à la postérité, les donateurs prirent soin de faire graver leur nom, en lettres romaines, sous la corniche supérieure de l'église.

Avancez dans la pénombre mystique de la grande nef (longue de 100 mètres), jusqu'au cloître qui réunit les chapelles des grandes familles, abondamment garnies de fresques et groupées autour de l'autel. Derrière, ne manquez pas le chœur décoré de **fresques** évoquant des *Scènes de la Vie de la Vierge et de Saint Jean,* exécutées par Ghirlandaio avec l'aide de ses élèves et offertes par les Tornabuoni. Moyennant quelques pièces, une minuterie vous permettra de les

Lors des courses, les chevaux tournaient autour de l'obélisque, face à l'église Santa Maria Novella.

contempler de près. Remarquez les magnifiques stalles du chœur en bois marqueté.

Ghirlandaio, le peintre «mondain» de la haute société florentine de la fin du XVe siècle, représenta souvent les Tornabuoni sur ses fresques.

A droite de l'autel, vous découvrirez une chapelle Strozzi et les fresques aux chauds coloris de Filippino Lippi, fils du grand peintre Fra Filippo; puis vient la chapelle des Bardi, décorée de fresques du XIVe

siècle; à gauche de l'autel, la chapelle des Gondi conserve le très beau **crucifix** de Brunelleschi (réponse de ce dernier au «paysan» de Donatello à Santa Croce; voir p. 64); et, tout à gauche, une autre chapelle Strozzi, avec des **fresques** du XIVe siècle, dont *Le Jugement dernier, Le Ciel* et *L'Enfer* – les libéraux donateurs figurant naturellement au Ciel!

La plus frappante de toutes ces fresques est celle qui figure sur le mur de la nef de gauche: la **Sainte Trinité,** peinte par Masaccio en 1427. Saisissante par l'intensité de l'espace profond, d'un autre monde, la fresque représente la crucifixion, ainsi que les deux époux donateurs agenouillés, dans une mise en scène architecturale de pur style Renaissance qui rompait catégoriquement avec tout ce qui avait été peint jusqu'alors.

A gauche de l'église, une partie des bâtiments du monastère a subsisté (modique droit d'entrée). Le **cloître** du XIVe siècle, avec ses trois cyprès géants, est un havre de paix après la *piazza* bruyante. De là, on peut admirer l'élégant campanile, aussi du XIVe siècle. Connu sous le nom de Chiostro Verde, le cloître Vert – ainsi nommé d'après la couleur de ses fresques peintes par **57**

Paolo Uccello – conduit au réfectoire (où l'on conserve maintenant quelques fresques endommagées), et donne enfin accès, en passant par un plus petit cloître, à la célèbre salle du chapitre, aux voûtes impressionnantes, la **Cappellone degli Spagnoli** (chapelle des Espagnols), ainsi nommée à la gloire de l'épouse espagnole de Cosme Ier, Eléonore de Tolède. Les quatre murs sont recouverts de fresques gigantesques du XIVe siècle.

Le Bargello, Santa Croce et San Miniato

Museo Nazionale (Bargello)

Cette forteresse d'aspect rébarbatif (4, Via del Proconsolo) est à la sculpture ce que les Offices sont à la peinture. Premier Hôtel de Ville de Florence et l'un de ses premiers bâtiments administratifs (commencé vers 1250), il servit tout d'abord de siège aux magistrats *(podestà)*

responsables de l'ordre et de la loi et hébergea ensuite le capitaine de Justice *(bargello),* qui était l'équivalent, au XVIe siècle, de nos commissaires de police.

La cour très sobre est adoucie par les nuances ambrées de sa *pietra forte* et couverte de dalles en pierre gravées aux armes des *podestà* successifs. Puis, de là, vous gagnerez la **Sala Michelangelo e scultura Fiorentina del cinquecento** (salle de Michel-Ange et des sculpteurs florentins du XVIe siècle).

Michel-Ange était âgé de 21 ans lorsqu'il termina son premier chef-d'œuvre, *Bacchus ivre,* divinement beau. Il sculpta un médaillon de marbre, la *Vierge à l'Enfant (Pitti Tondo),* 8 ans plus tard, alors qu'il travaillait déjà à son célèbre *David.* Voyez aussi le portrait de l'artiste, un buste en bronze de Michel-Ange, par Daniele da Volterra. Ne manquez pas d'admirer les quelques bronzes de Cellini, son beau buste de Cosme Ier de Médicis et le petit modèle en bronze de son *Persée,* de la Loggia dei Lanzi.

Un escalier en pierre du XIVe siècle conduit à une loggia en arcades au premier étage où sont réunis le *Mercure* en bronze de Jean Bologne, et sa série d'oiseaux, toujours en bronze, dispersée le long du parapet.

Le premier étage renferme de somptueuses collections, en grande partie celles des Médicis; à noter des céramiques toscanes et italiennes, des verreries anciennes de Murano, de beaux émaux de Limoges et d'étonnants coquillages travaillés en camées. La chapelle du XIVe siècle est décorée de fresques réalisées par un élève de Giotto.

Si vous ne devez rien voir d'autre, alors allez dans le **grand salon,** tout imprégné de l'esprit même qui régnait au début de la Renaissance à Florence. Le *Saint Georges* de Donatello, réalisé en 1416, dégage une extraordinaire impression de force et d'humanité. Se détachant sur une immense paroi nue, il domine la salle aux hautes voûtes. Commandée par la guilde des armuriers pour contribuer à la décoration extérieure d'Orsanmichele (voir p. 32), cette œuvre passe pour caractéristique de la première grande percée de la Renaissance dans le domaine de la sculpture.

Autel à Santa Maria Novella.

Le *David* en bronze de **59**

Donatello, première statue nue de la Renaissance, embellit quelque temps la cour du palais Médicis de sa présence. Contrastant avec l'impression de «modernisme» du *Saint Georges*, il émane du *David* une aura de sensualité dans la ligne des Anciens, alors que le délicieux bronze *Amore* (Cupidon) est de style tout à fait romain. Plus émouvantes et plus personnelles sont les deux versions de *Saint Jean-Baptiste*, représenté adolescent et dans sa maturité.

Ne manquez pas les maquettes originales en bronze de Ghiberti et de Brunelleschi *(Le Sacrifice d'Abraham)* exécutées à l'occasion du concours lancé en 1401 en vue de l'exécution des portes du Baptistère.

Au deuxième étage, se trouve le *David* en bronze de Verrocchio (v. 1471); l'artiste aurait pris pour modèle son jeune élève Léonard de Vinci, qui n'avait alors pas plus de 19 ans.

En face du Bargello, se dresse l'église connue sous le

Sur un coffre de mariage, le Baptistère tel qu'on le vit autrefois, dépourvu de ses portes.

nom de **Badia Fiorentina,** avec une élégante tour de style mi-roman, mi-gothique. A l'intérieur, à gauche en entrant, vous pourrez admirer un splendide tableau de Filippino Lippi, *L'Apparition de la Vierge à Saint Bernard.*

La **Casa Buonarroti** (Via Ghibellina, 70; voir les heures d'ouverture p. 113) fut achetée par Michel-Ange. Elle renferme des lettres, des dessins et des portraits du maître, et toute une collection de peintures historiques du XVIIe siècle qui illustre les faits majeurs de sa longue vie.

Voyez son célèbre bas-relief, la *Vierge à l'Escalier,* exécuté

avant l'âge de 16 ans, et son étonnant *Combat des Lapithes et des Centaures,* qui date à peu près de la même période.

Santa Croce

Avec son vaste terre-plein, Santa Croce devint rapidement le centre d'attraction social et politique de la ville.

Edifiée en 1228 au centre d'un quartier populaire, dans le plus pur style franciscain, c'était une modeste chapelle. Plus tard, l'importance de l'ordre devint telle qu'un plan d'agrandissement de l'église fut demandé à Arnolfo di Cambio, l'architecte du Duomo. Les travaux furent achevés au XIVe siècle. L'intérieur est de pur style gothique, tandis que la façade fut terminée dans le style néo-gothique du XIXe siècle.

A l'intérieur reposent plusieurs des plus illustres représentants de l'histoire d'Italie: le célèbre Vasari dessina le tombeau de Michel-Ange (le premier sur le mur de droite). Transportée de Rome clandestinement dans une caisse, la dépouille mortelle de l'artiste fit l'objet des plus fastueuses funérailles qui aient jamais eu lieu de mémoire de Florentin. Les statues assises qui ornent le monument représentent la Sculpture, l'Architecture **61** et la Peinture, les trois arts qui le rendirent immortel.

Dans le tombeau suivant, celui de Dante, et au grand dépit des Florentins, ne repose personne. Sa vraie sépulture se trouve à Ravenne, où il mourut. Les habitants de Ravenne ne cédèrent jamais aux arguments avancés par les Florentins pour le faire revenir.

Tout près se trouve la tombe de Machiavel (1469–1527), homme d'Etat, théoricien politique, historien et auteur dramatique; son livre le *Prince,* un traité sur l'art de gouverner, a rendu – à tort ou à raison – son nom synonyme d'hypocrisie et de ruse démoniaque.

Un peu plus loin, se trouve la sépulture d'un non-florentin, mais Italien célèbre, Rossini (1792–1868), compositeur du bel opéra, le *Barbier de Séville.*

Faisant face à Michel-Ange, le génie de Pise, Galilée (1564–1642) qui perfectionna le télescope astronomique existant déjà. Du même côté repose Lorenzo Ghiberti, l'auteur des portes du Baptistère.

En vous promenant autour de cette immense église, vos pas se poseront sur quelques fascinantes pierres tombales

La chapelle Pazzi (Brunelleschi) influença le début de la Renaissance.

San Miniato et la Piazzale Michelangelo

Une agréable promenade à pied ou avec le bus n° 13 vous conduira de la Piazza dei Giudici à la Piazzale Michelangelo, d'où le **panorama** sur Florence est incomparable, et à l'église de San Miniato toute proche.

Saint Miniato, qui fut l'un des tout premiers martyrs du IIIᵉ siècle, porta depuis Florence jusqu'ici, dit-on, sa tête décapitée, qu'il posa à terre à l'endroit où l'église devait plus tard être construite. San Miniato est l'une des églises les plus romantiques de Florence.

Reconstruite au début du XIᵉ siècle, c'est un spécimen remarquable de l'architecture romane florentine. Sa superbe façade de marbre vert et blanc, étincelante d'or au soleil couchant, restera longtemps dans votre mémoire.

L'intérieur de l'église a toute la splendeur d'une basilique byzantine, avec sa merveilleuse marqueterie de marbre et ses décorations en mosaïque. Remarquez l'effet de broderie extraordinaire rendu par le sol en marbre de la nef, du XIIIᵉ siècle, qui évoque la traîne

Au pied de ce David, *la Piazzale, lieu de rencontres et de détente.*

nuptiale d'une princesse de conte de fées. Voyez aussi la chapelle du XVe siècle et, dans la sacristie, des fresques du XIVe siècle bien conservées.

Prenez un instant de repos sur la vaste terrasse, et admirez la vue. Allez au petit bazar tenu par des religieux bénédictins-olivétains, où un père blanc vous vendra tout ce que vous voudrez: miel, liqueurs, cartes...

N'eût été Michel-Ange, San Miniato aurait bien pu ne plus être là aujourd'hui. Durant le siège de 1530, lorsque les canons de l'empereur Charles Quint pilonnaient la cité, l'église de San Miniato était à portée de tir et aurait pu être mise en pièces. Mais Michel-Ange, qui dirigeait la défense de Florence, fit ériger en toute hâte une forteresse autour du site et protéger le clocher avec des ballots de laine et des matelas. Toujours debout, la forteresse ressemble aux fortifications du fort du Belvédère (XVIe), à l'ouest de San Miniato.

Du palais Pitti à Santa Maria del Carmine

Traversez maintenant l'Arno par le **Ponte Vecchio,** le pont le plus ancien de Florence, le seul qui fut épargné par la dernière guerre. Un des premiers ponts fut emporté par les inondations en 1333; l'actuelle construction de pierre bordée de boutiques en surplomb date de 1345. Vasari construisit la galerie couverte qui relie, au-dessus des boutiques, le palais Pitti au palais des Offices, afin que

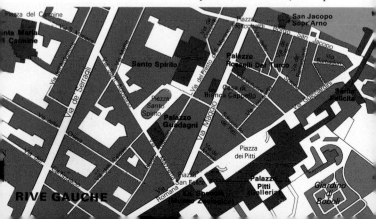

RIVE GAUCHE

le grand-duc Cosme de Médicis puisse se rendre de l'un à l'autre sans se mouiller en cas de pluie.

De la double terrasse qui se trouve en son centre, admirez l'élégante courbe des arches du **Ponte Santa Trinità**.

Le palais Pitti

Résidence officielle et grand-ducale des Médicis depuis 1549, le palais Pitti devint Palais royal de l'Italie unie, de 1865 à 1871. Le palais Pitti fait partie des «choses à voir absolument» à Florence. Il abrite quelques galeries et musées intéressants tout en offrant, outre quatre bons hectares de merveilleux jardins à l'italienne, nombre de charmants sujets de découverte. (Les heures d'ouverture des musées figurent à la p. 113.)

Dans la somptueuse **Galleria Palatina** (galerie du Palais), vous vous sentirez davantage l'invité d'un collectionneur qu'un touriste. D'inestimables peintures sont accrochées les unes au-dessus des autres, dans une abondance extraordinaire de dorures, de stucs et de fresques. On les a laissées telles que les derniers Médicis et, plus tard, les grands-ducs les avaient disposées.

Des œuvres magistrales de Botticelli, Raphaël, Titien, Rubens, Vélasquez et Murillo sont exposées dans d'immenses salles.

Si votre temps est limité, voici l'essentiel: de Raphaël, la *Femme enceinte,* le portrait incisif de *Tommaso Inghirami,* et l'admirable portrait rond de la *Vierge à la Chaise.* L'énigmatique et romantique *Donna Velata* était en fait la maîtresse et le modèle préféré de Raphaël.

La «salle de Mars» est dominée par la vigoureuse allégorie de Rubens, les *Conséquences de la Guerre,* qui est l'une des plus remarquables peintures de style baroque du XVIIe siècle. Il faut voir aussi les *Quatre Philosophes,* avec la face rubiconde de Rubens figurant à gauche du tableau.

Au nombre de très beaux Titien figurent *Marie-Madeleine,* le *Portrait de l'Anglais* et le *Concert.*

De Fra Filippo Lippi, découvrez la *Vierge à l'Enfant* (1452), d'une grande sensibilité, avec, à l'arrière-plan, la propre naissance de la Vierge.

Bien que chaque salle rivalise avec la précédente en surcharge de décoration, le sommet de l'extravagance pure semble atteint avec la salle 29, recouverte de fresques du XVIIe siècle, du sol au plafond.

Dans les 16 salles somp- **69**

tueusement décorées du **Museo degli Argenti** (Musée dit «des Argents»), admirez certains des joyaux préférés des Médicis: des camées, des objets en or, en argent, en cristal ou en ivoire, des meubles et des porcelaines; la collection personnelle de Laurent le Magnifique, composée de 16 vases ornés de pierres semi-précieuses d'une extrême beauté, est d'une valeur inestimable. La pièce dans laquelle ils sont exposés réserve la plus grande surprise: ses fresques, à l'effet architectural, du XVIIᵉ siècle, donnent l'illusion optique fantastique mais parfaite, d'une hauteur et d'une profondeur vertigineuses.

La **Galleria d'Arte Moderna** (galerie d'art moderne) rassemble les plus grandes œuvres des peintres italiens, surtout toscans des XIXᵉ et XXᵉ siècles. Découvrez les intéressants *Macchiaioli* (ou tachistes), mouvement impressionniste proprement toscan des années 1860. Cherchez les tableaux de Fattori et de Signorini.

Le **Museo delle Carrozze** regroupe dans deux salles de luisantes voitures officielles. Les **Appartamenti Monumentali** (appartements royaux), sorte de petit Versailles, furent occupés par les Médicis avant de l'être par la Maison royale de Savoie.

Le Palazzo della Meridiana, à l'angle sud-ouest du palais Pitti, abrite la **Collezione Contini Bonacossi:** tableaux de vieux maîtres, bel ameublement, faïences.

L'entrée est libre au **Giardino di Boboli** (ouvert tous les jours de 9 à 19 h. en été). Ce jardin de cyprès à l'italienne, aux allées bordées de haies et de bosquets, peuplé de statues surprenantes, de pavillons, de fontaines et de grottes, et de toutes sortes de curiosités, était à l'origine une vaste carrière d'où furent extraits les énormes blocs de pierre qui servirent à l'édification du palais Pitti. Le parc fut réalisé pour l'épouse de Cosme Iᵉʳ, Eléonore de Tolède, qui aimait la nature.

De belles porcelaines sont exposées au Museo delle Porcellane, dans le Casino del Cavaliere.

Santo Spirito

Eglise d'un couvent de moines augustins, Santo Spirito, érigé au XIIIᵉ siècle, fut totalement redessiné par Brunelleschi, puis reconstruit après sa mort, dans la seconde moitié du XVᵉ siècle.

De l'extérieur inachevé, d'une nudité inhabituelle mais émouvante, on pénètre dans ce qui est le chef-d'œuvre d'harmonie architecturale de la Renaissance. Les 38 autels latéraux, les minces colonnes en pierre grise à chapiteau corinthien et le jeu combiné des arches donnent une impression d'extraordinaire profondeur. Le cloître adjacent a été ajouté au XVIIe siècle.

A côté de l'église, le réfectoire du monastère est décoré d'impressionnantes fresques du XIVe siècle: la *Cène* et la *Crucifixion;* le **Museo della Fondazione Romano** présente de belles sculptures médiévales et Renaissance.

C'est à l'ancien hôpital des Augustins que Michel-Ange venait parfaire ses connaissances d'anatomie par la dissection!

Santa Maria del Carmine

Haut lieu de pèlerinage artistique, cette église sans prétention abrite quelques-unes des **fresques** les plus importantes jamais peintes. A la demande de la famille Brancacci, Masaccio et son maître Masolino travaillèrent de 1423 à 1427 aux fresques décorant la chapelle de cette famille.

L'œuvre personnelle de Masolino est assez remarquable, mais avec les fresques de Masaccio *Le Paiement du Tribut* et *Adam et Eve chassés*

du Paradis, la peinture acquiert une dimension résolument nouvelle. Son sens de la lumière et de l'espace, l'émotion dégagée par les attitudes et le réalisme de ses personnages, tiennent d'une inspiration miraculeuse. Rien de la sorte n'avait jamais été peint auparavant; la Renaissance était là, **71** qui allait durer. Masaccio mourut avant de terminer sa commande, à l'âge de 27 ans.

Les artistes florentins, jeunes et vieux, venaient en incessants défilés, y admirer son œuvre et s'en inspirer. Le jeune élève Michel-Ange, lui-même, vint y copier des personnages. C'est en ce lieu, dit-on, que Pietro Torrigiani, condisciple de Michel-Ange, exaspéré par les sarcasmes de ce dernier sur sa copie maladroite, lui fracassa le nez.

Si la peinture de Masaccio est en soi un miracle, c'est un autre miracle qui la sauva de la destruction, lorsque l'église fut dévorée par les flammes d'un incendie au XVIIIe siècle. Seules la chapelle Brancacci et une petite partie de l'édifice principal furent épargnées par le feu.

C'est le matin que les fresques de Masaccio sont le plus belles. A Fiesole, visitez les ruines romaines.

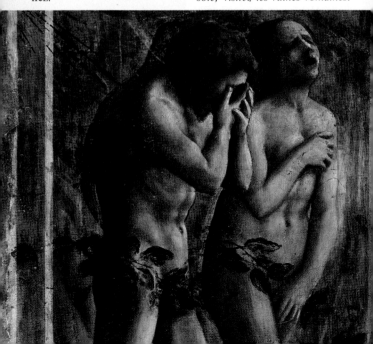

Excursions

Nombre d'agences de voyages proposent un large choix d'excursions accompagnées ou non. L'office du tourisme (voir p. 117) organise également différentes sorties hors des sentiers battus.

Des cars réguliers (voir p. 122) sillonnent d'autre part la Toscane, tandis que divers autobus desservent les environs immédiats de Florence. Voici à cet égard quelques buts d'excursion parmi les plus courus, tous accessibles en moins d'une heure par la route.

Les environs

On accède à **Fiesole** (bus n° 7 de la Piazza San Marco) par une route sinueuse bordée de villas. C'est une charmante et agréable petite ville, d'où la vue sur Florence et la vallée de l'Arno est un ravissement.

Si vous le pouvez, arrêtez-vous pour voir l'exquise **Badia Fiesolana,** ancienne cathédrale de Fiesole qui fut reconstruite au XVe siècle par les Médicis.

Si le passé étrusque de la localité demeure, en dehors de quelques pans de murs, peu manifeste, les ruines romaines restent impressionnantes. Vous verrez, à l'écart de la grand-place, le **théâtre,** bien con-

servé. Datant du Ier siècle av. J.-C., il est encore utilisé de nos jours et peut recevoir 2500 spectateurs. Voyez aussi les vestiges des thermes et d'un temple romain et un petit, mais intéressant, musée archéologique.

Terminée au XIIIe siècle, la **cathédrale San Romolo** est d'inspiration byzantine. Sa tourelle agressive en pierre de Toscane, visible à des kilomètres à la ronde, date de 1213.

Ne manquez pas de faire la promenade qui mène (en partant de la place principale, à gauche) par un chemin escarpé mais pittoresque, à l'**église San Francesco** et son petit monastère. Le panorama est mémorable et le monastère, avec ses cloîtres minuscules et paisibles, enchanteur.

Si vous avez le temps, voyez le Musée Bandini de Fiesole

Luxuriant paysage toscan: genêts, forêts, vignobles...

qui abrite une belle collection de meubles et de peintures du XIVe siècle.

Au-delà de Fiesole, votre promenade vous conduira jusqu'au village de SETTIGNANO (prendre le bus nº 10 sur la Piazza San Marco), où Michel-Ange, bébé, fut mis en nourrice chez la femme d'un maçon!

MONTESENARIO, un ancien monastère de Servites, du XIIIe siècle, distille encore de nos jours sa liqueur de pin. De la terrasse, la vue sur la vallée de l'Arno et les collines avoisinantes est éblouissante.

Sur la route de SESTO FIORENTINO, arrêtez-vous à deux grandes résidences des Médicis: la **Villa della Petraia** (fermée le lundi) et la **Villa di Castello,** entourées de jardins, de statues et de fontaines. Juste à la sortie de Sesto (à Quinto, sur la Via Fratelli Rosselli), vous trouverez une tombe étrusque en parfait état, remarquablement évocatrice, la Montagnola (le monticule).

Une autre villa des Médicis se trouve à **Poggio a Caiano** (sonnez pour qu'on vous ouvre; fermé le lundi). Son hall immense est décoré d'une profusion de fresques allégoriques du XVIe siècle, presque toutes à la gloire de Laurent le Magnifique, qui fut le premier propriétaire de cette demeure.

Fondée au XIVe siècle, et toujours en activité, une chartreuse, la **Certosa del Galluzzo,** abrite quelques belles fresques. (Sonnez à l'entrée.)

Une jolie route de campagne conduit à **Impruneta**, petite ville paisible, centre de marchés, plusieurs fois centenaire. Les célèbres foires et fêtes folkloriques qui s'y déroulent en septembre et octobre la rendent alors particulièrement attirante. Deux beaux cloîtres attenant à la basilique de Santa Maria dell'Impruneta méritent une visite.

Pise

Le groupe que forment la Tour penchée, la cathédrale et le Baptistère défie toute description. La **Piazza del Duomo,** appelée aussi Piazza dei Miracoli (place des Miracles), est un ensemble grandiose. L'édification du **Duomo**, entreprise vers 1063, fut achevée en 1118 (ses belles portes de bronze datent aussi du XIIe siècle); la construction du **Battistero** prit deux cents ans, du XIIe au XIVe siècle (son acoustique est exceptionnelle); la **Tour penchée,** célèbre dans le monde entier pour son inclinaison accidentelle, aussi belle et délicate que de l'ivoire sculpté,

La Tour de Pise permit à Galilée d'étudier les lois de la gravité.

posanto, étonnant cimetière du XIIIᵉ siècle ressemblant à un cloître dont les murs sont entièrement recouverts de merveilleuses fresques des XIVᵉ et XVᵉ siècles (certaines sont dues à Benozzo Gozzoli).

Aussi invraisemblable que cela nous paraisse aujourd'hui, Pise était jadis située sur l'estuaire de l'Arno (qui se trouve actuellement à Marina di Pisa, à 11 km.). Port de mer prospère colonisé par les Grecs, aménagé par les Etrusques puis par les Romains, Pise était devenue au XIIᵉ siècle une république navale riche et puissante, s'enorgueillissant de l'une des premières universités d'Italie.

D'admirables églises et palais, des ruelles pittoresques, ainsi que le Museo Nazionale di San Matteo (le long du Lungarno Mediceo), sont autant de raisons de partir à la découverte de Pise.

Si votre horaire le permet, visitez la cité historique de **Pistoia** et l'harmonieuse Piazza del Duomo, l'admirable autel en argent de San Iacopo à l'intérieur de la cathédrale, et l'élégant Baptistère octogonal. Gagnez enfin **Prato:** son dôme possède une chaire extérieure due à Donatello et à Michelozzo, et un chœur orné de fresques de F. Lippi.

date de la même époque. La tour est temporairement fermée au public, car elle nécessite quelques travaux de consolidation.

Derrière ces monuments grandioses se trouve le **Cam-**

76

EXCURSIONS

Sienne et San Gimignano

Il faut à tout prix faire la visite de ces deux cités pour leur atmosphère médiévale incomparable.

En approchant de **Sienne** par la route qui coupe à travers des collines d'argile rougeâtre, vous comprendrez l'origine de l'expression «terre de Sienne». Vous le verrez, la cité, contrastant avec les bruns et les gris de Florence, est un merveilleux alliage de brique et de pierre, tout en rouges éclatants et en roses vifs.

Une imposante architecture gothique prédomine partout, du Palazzo Pubblico du XIVe siècle, avec sa fine et gracieuse Torre del Mangia, à la cathédrale et aux beaux *palazzi*.

La très vaste **Piazza del Campo,** en pente et en forme de coquillage, où se déroulent chaque été les courses hippiques du Palio, conserve toute la noblesse aristocratique qui caractérisait Sienne au XIIIe siècle, alors qu'elle était gibeline. Fondée, selon la tradition, par la famille de Rémus (dont le jumeau, Romulus, créa Rome),

la plus fière des cités toscanes ne tomba sous la domination de Florence qu'en 1555.

Au **Palazzo Pubblico,** vous découvrirez deux fresques monumentales de Simone Martini, la *Maestà* (1315) et le *Condottiere Guidoriccio da Fogliano* (1328), monté sur un cheval superbement caparaçonné. (L'authenticité de cette œuvre est depuis peu controversée.) A voir aussi une série de fresques par Ambrogio Lorenzetti, intitulée *Effets du*

78 *La façade du Dôme de Sienne, merveilleux «poème de marbre».*

Bon et du Mauvais Gouvernement (1339), la plus vaste composition profane que le Moyen Age nous ait léguée.

Promenez-vous par les ruelles sinueuses et pittoresques jusqu'à la grande **cathédrale** gothique, dont l'admirable façade au revêtement de plaques horizontales blanches et noires est un rappel des armes de la ville. Admirez le pavement de marqueterie de marbre, la splendide chaire sculptée, et les fresques historiques du Pinturicchio, d'une grande richesse de couleurs, à la bibliothèque Piccolomini. Et n'oubliez pas le **musée de la Cathédrale,** car il recèle *La Maestà,* œuvre splendide exécutée en 1308 par le Siennois Duccio di Buoninsegna.

En passant par la maison où, au XIVᵉ siècle, naquit sainte Catherine, la patronne de Sienne, vous parviendrez à la basilique de San Domenico, qui abrite des reliques de la sainte. Visitez, un peu plus

musée des Archives (Palazzo Piccolomini) est également intéressant. L'université (du XIIIe siècle) et son Académie internationale de musique Chigi (concerts de juillet à septembre) ont une renommée mondiale. Sienne est aussi l'un des premiers centres linguistiques du pays; c'est là qu'on parle l'italien le plus pur.

Assister au **Palio,** la course de chevaux qui a lieu autour de la *piazza* en juillet et août (voir p. 88), vaut le détour. Après un imposant cortège aux vives couleurs de pages, hommes d'armes, chevaliers et porte-drapeaux de tous les quartiers de la ville *(contrade),* dans de magnifiques costumes du XVe siècle, 10 cavaliers montant leurs chevaux sans selle se lancent dans une course farouche autour de la place, à la conquête du *palio,* un étendard de soie peint aux armes de la ville.

Flanquée de remparts, la cité de **San Gimignano** a conservé, mieux qu'aucune autre ville d'Italie, sa physionomie médiévale et pittoresque. Posée stratégiquement sur une colline, ses 15 tours de pierre – elles étaient autrefois au nombre de 72 – la font paraître plus haut perchée encore.

Flânez à travers les rues et les placettes, qui n'ont guère changé depuis le séjour de

loin, l'église de San Francesco, ornée de fresques de Lorenzetti, et dont l'oratoire est dédié à San Bernardino, un autre patron de la ville. Le Palazzo Tolomei (Via Banchi di Sopra), tout proche, est un magnifique exemple de l'architecture médiévale profane.

Sienne est fière de sa **Pinacoteca** (aménagée dans le Palazzo Buonsignori), un important musée d'art qui réunit les peintures des plus grands artistes de l'école de Sienne. Le

Dante, ambassadeur de Florence, en 1300. Voyez l'église du XIIe siècle, la **Collegiata**, ornée de fresques impressionnantes dont le terrifiant *Jugement dernier* du XIVe siècle et le *Martyre de Saint Sébastien* par Benozzo Gozzoli. Ne manquez pas de voir la chapelle de Santa Fina et les magnifiques fresques de Ghirlandaio.

N'oubliez en aucun cas de visiter le **Palazzo del Popolo** construit aux XIIIe et XIVe siècles, et sa ravissante petite cour,

sa tour haute de 54 m. et des fresques peu communes représentant des scènes de chasse ou d'amour courtois.

Et maintenant, grimpez jusqu'à la **Rocca**, citadelle d'où vous jouirez d'un splendide panorama sur la ville et la vallée. A l'intérieur de l'église Sant'Agostino, du XIIIe siècle, voyez dans le chœur les *Scènes de la Vie de Saint Augustin*, de Benozzo Gozzoli, qui contiennent une profusion de détails de la vie de tous les jours.

San Gimignano, préservée du temps, est restée telle qu'au XIVe siècle.

Que faire

Les achats

A Florence, l'attrait des boutiques rivalise avec l'art et l'histoire. Les vitrines sont un plaisir en soi, un régal pour la vue. Les boutiques de mode vous attireront tout au long des rues élégantes et chères de la Via de' Tornabuoni et Via de' Calzaiuoli. Une marchandise colorée s'empile sur 3 m. de haut aux étalages en plein air des marchands de souvenirs. La plupart des vendeurs ont des notions élémentaires de français.

Les magasins et les grandes surfaces sont ouverts de 8 h. 30 ou 9 h. jusqu'à 13 h., et de 16 à 20 h. Du 15 juin au 15 septembre tous les magasins sont fermés le samedi après-midi (le lundi matin le reste de l'année). Les coiffeurs ferment le lundi, toute l'année; l'alimentation, le mercredi.

Les meilleurs achats

La mode. Les modélistes florentins partagent avec Paris, Rome et Londres le monopole de la mode. Les modèles exclusifs de robes ou de manteaux sont chers, mais infiniment moins qu'ils ne le seraient dans votre pays. Vous ne résisterez pas à un merveilleux choix d'articles plus abordables tels que blouses, cravates et ceintures «couture».

Le cuir. Il est roi, il fait partie intégrante de la mode. Vous en respirez l'odeur révélatrice autour de San Lorenzo et surtout Santa Croce... elle vous conduira jusqu'aux manufactures voisines, où l'on vous montrera valises, sacs et reliures, terminés ou en cours de travail, sans aucune obligation d'achat.

Faites un saut jusqu'à l'école du cuir; elle est installée der-

A Florence, au marché de la Paille, faites provision de mille trésors.

rière la sacristie de Santa Croce, dans les anciennes cellules des moines. Vous verrez des apprentis de tous les pays couper, tailler, estamper les motifs traditionnels. Quelques modèles parmi les plus séduisants sont à vendre.

Les meilleurs achats sont les gants, ceintures, bourses, portefeuilles et coffrets, de toutes formes et dimensions. Les sacs à main, souvent irrésistibles, sont presque toujours chers, car il y a peu de différence entre les prix des boutiques et ceux du marché. La plupart du temps, on incrustera – à titre gracieux – vos initiales en lettres d'or sur l'objet que vous aurez acheté.

L'or et l'argent. Si, en matière de bijoux en or, les créations s'avèrent invariablement onéreuses, les menus bijoux fantaisie sont en revanche tout à fait abordables. Vous ne sauriez résister à l'attrait du Ponte Vecchio, avec ses boutiques de joaillerie vieilles de plusieurs siècles, aux vitrines toutes plus aguichantes les unes que les autres.

S'inspirant quelquefois d'objets anciens, les orfèvres proposent un choix infini de boîtes à pilules, ronds de serviettes, cadres, huiliers, sucriers et chandeliers, tous objets aussi beaux que pratiques.

Céramique et verrerie. Coûteux mais de grande qualité, vous trouverez des services en porcelaine, des objets en céramique, d'innombrables statuettes pour tous les goûts, produits en grande partie à Sesto Fiorentino. Des objets utilitaires en verrerie très attrayants, parfois très bon marché, viennent d'Empoli ou de Pise.

Marqueterie et mosaïques. La marqueterie, ou *intarsio* est un art typiquement florentin qui fut porté à son sommet pendant la Renaissance. Vers la fin du XVIe siècle, on utilisa souvent des pierres semiprécieuses, en marqueterie. Cet art est toujours florissant. Vous en verrez des exemples de style moderne à Lungarno Torrigiani, Via Guicciardini et Piazza Santa Croce. Les objets plus importants, ainsi les tables, sont inévitablement de prix élevé; mais les petites gravures naïves encadrées – représentant des oiseaux, des fleurs, des paysages toscans ou des vues de Florence – constituent de charmants souvenirs à des prix relativement raisonnables.

S'il est difficile de découvrir des Cellini en herbe à Florence de nos jours, les habiles artisans ne manquent pas: ces ravissantes broches, pendentifs, bracelets et bagues en

émail coloré que vous trouvez partout sont exécutés à domicile par une multitude de patientes Florentines.

Antiquités et reproductions

Depuis plus de cinq siècles, Florence attache un grand prix aux antiquités. De nos jours, l'événement majeur que constitue le Salon international des antiquaires est devenu une biennale au Palazzo Strozzi (septembre–octobre).

Les antiquaires se groupent près du Borgo Ognissanti, du Borgo San Iacopo, de la Via della Vigna Nuova ou della Spada. Spécialistes du meuble, de la peinture et de l'art décoratif, ils ne sont pas bon marché. Ici, bibelots et bric-à-brac n'existent pas.

Les fervents du marché aux puces en découvriront un, permanent et de taille modeste, Piazza dei Ciompi (ouvert tous les jours en pleine saison).

Si vous n'avez pas les moyens d'acquérir l'original d'un maître ancien, offrez-vous une bonne reproduction; c'est une spécialité de Florence.

Les reproductions de gravures du XVIIIᵉ siècle, encadrées, sont un bon achat, surtout aux alentours de la Piazza del Duomo. Si vous désirez une reproduction sans cadre, voyez au marché de San Lorenzo. Ou essayez chez l'un de ces petits copistes qui, aux Offices, mettent la dernière touche à leurs tableaux à l'huile, copies de Raphaël et Caravage. Les amateurs d'armes trouveront épées, pistolets et casques de conquistadors près du Bargello.

Les marchés

Très couleur locale, ils satisfont à tous les désirs du touriste pressé. Bien situé au centre, le Mercato Nuovo (ou marché de la Paille) abrite sous sa loggia (bâtie en 1547) un nombre impressionnant d'éventaires pleins d'objets attrayants.

Au marché de San Lorenzo, les habitants comme les touristes viennent s'approvisionner. On y trouve de tout, des outils comme des sacs en crocodile. S'étendant tout autour de la Piazza San Lorenzo, ses appétissantes boutiques d'alimentation pleines de monde ajoutent encore à l'animation colorée de la place. Vous pourrez faire des affaires avantageuses en achetant des articles en cuir, des vêtements ou des chaussures. Bien des tenanciers d'échoppes honorent d'ailleurs les cartes de crédit. Ils sont nombreux aussi à accepter les chèques de voyage et à se charger d'expédier vos achats dans le monde entier.

Le marchandage est en voie

de disparition. Depuis que le contrôle des prix est en vigueur, il est devenu inutile, à moins que vous n'achetiez plusieurs articles à la fois. Magasins et boutiques le désapprouvent, et affichent souvent sur leurs vitrines *prezzi fissi* (prix fixes).

La vie nocturne

Florence possède de nombreux dancings et discothèques, quelques boîtes de nuit, ainsi que des dancings en plein air ouverts en été autour de la Viale Michelangelo et à Fiesole. La réception de l'hôtel ou l'office du tourisme vous en communiquera les adresses.

Les soirs d'été, après une journée torride de cache-cache avec le soleil, les Florentins profitent au maximum des soirées un peu plus fraîches et descendent dans la rue. Par familles entières, ils flânent dans le centre, s'attardent devant les vitrines, s'assoient pour bavarder devant leur porte ou s'installent aux terrasses surpeuplées des cafés.

Faites comme eux. Prenez un *gelato,* une tranche de pizza brûlante ou de pastèque rafraîchissante.

Allez dans les cafés de la Piazza della Repubblica. L'un d'eux offre régulièrement à ses clients un spectacle de chansons et de musique dont toute la place profite.

Si vous êtes en voiture, partez à la recherche de l'une des nombreuses auberges, pimpantes et sans snobisme, de la campagne environnante. Vous en trouverez une agréable à Pontassieve, par exemple (18 km. de Florence). Vous pourrez aussi tout simplement prendre le bus jusqu'à la Piazzale Michelangelo, et admirer la ville de nuit.

Manifestations et festivals

Quelle que soit la saison, il se passe toujours quelque chose à Florence. Au Palazzo Strozzi, c'est le Salon de la peinture, celui des antiquaires ou de l'artisanat ou la fête des fleurs (mai et octobre). Procurez-vous, auprès de l'office du tourisme, le *Calendrier des Spectacles de Florence et de sa Province.*

Les concerts s'échelonnent tout au long de l'année: en juillet–août, certains sont donnés le soir en plein air dans les jardins Boboli; des récitals d'orgue dans les églises historiques ont lieu en septembre et octobre. En juin, juillet et août, Fiesole est le centre d'un festival de musique, danse, théâtre et cinéma. Ces spectacles ont lieu pour la plupart dans son théâtre romain. En juin et septembre, on donne des pièces de théâtre et des concerts dans la belle villa Médicis, à Poggio a Caiano. La saison d'opéra, à Florence, se déroule de décembre à février, et en juillet.

Si vous le pouvez, faites votre voyage à l'époque du Maggio Musicale Fiorentino (de mi-mai à fin juin), festival qui réunit les orchestres, les ballets et les chanteurs d'opéra les plus célèbres du monde.

Manifestations annuelles à Florence et aux environs

Jour de l'Annonciation (mars): Fête de Florence.

Dimanche de Pâques: *Scoppio del Carro*. Feux d'artifice sur la Piazza del Duomo.

Jour de l'Ascension (mai): *Festa del Grillo* (vente, au parc des Cascine, de grillons en cage).

Saint Jean-Baptiste (24 et 28 juin): *Giuoco del Calcio:* traditionnel jeu de «football» rude et éprouvant, en costumes du XVIᵉ siècle.

Feux d'artifice sur la Piazzale Michelangelo.

2 juillet et 16 août: *Palio di Siena:* défilé historique et courses de chevaux, sur la *piazza*.

7 septembre: *Festa delle Rificolone* (lanternes): procession nocturne sur le pont San Niccolò et le long de l'Arno.

Septembre: Foire aux oiseaux (Porta Romana).

(Voir également Jours fériés, p. 114.)

Les sports

Natation. Si vos tribulations à travers Florence ne suffisent pas à épuiser votre énergie, allez donc nager ou prendre un bain de soleil à la moderne Piscina Bellariva (Lungarno Colombo), à Rari Nantes (Lungarno Ferrucci) ou à la Piscina Costoli (Campo di Marte), équipée pour les enfants. Ou bien, essayez la piscine plus sophistiquée, style club, des Cascine. Possédant un zoo miniature, l'aire des Cascine est un lieu de promenade agréable, qu'il est cependant préférable d'éviter le soir.

Pour faire un plongeon en mer, il faut aller jusqu'à Viareggio, à Forte dei Marmi, à Marina di Pisa ou encore à Tirrenia.

Tennis. Les amateurs de tennis ne pourront pas être admis au tennis-club des Cascine, qui est très fermé. Mais il y a des courts à la Viale Michelangelo et un complexe golf-tennis-piscine au sud de Florence, le Campi dell'Ugolino. L'office du tourisme (voir p. 117), propriétaire de ce dernier établissement, vous renseignera.

Équitation. Les possibilités sont maigres. Une seule solution: vous rendre à Impruneta (à 14 km.), mais vous pourrez assister à des épreuves de trot ou de plat sur les deux pistes des Cascine.

Promenades. Les ressources de la région sont infinies: à pied ou en voiture, randonnées et excursions vous conduisent tout droit vers les collines verdoyantes des alentours, ou plus près, au parc de Bellosguardo, à la Piazzale Michelangelo, au monastère de Certosa del Galluzzo, à Poggio Imperiale ou à l'observatoire Arcetri, situé sur la colline même d'où Galilée observait les étoiles. L'office du tourisme fournit une carte de la province de Florence et renseigne sur les itinéraires à prendre.

Les plaisirs de la table

Si mesure et simplicité sont les qualités dominantes de l'architecture toscane, les mêmes règles sont de rigueur en cuisine. Les Toscans, et qui plus est les Florentins, frisent le fanatisme lorsqu'il s'agit des produits de leur terroir. Pour eux, rien n'égale leur huile d'olive, leur pain, leur vin; ils pousseront jusqu'au lyrisme à la louange d'un plat de courgettes tendres bouillies *(zucchini)*, d'un *pecorino* (fromage) ou de quelques figues fraîchement cueillies, mais ils resteront indifférents devant un plat très raffiné. Simples ou pas, les Florentins de la bonne société du XVIe siècle mangeaient avec couteau et fourchette – peut-être inventés par Cellini – à une époque où, un peu partout, on utilisait encore ses doigts...

Tatillons, mais pas aventureux en matière de cuisine exotique ou étrangère, les Florentins ne «dénaturent» pas la saveur naturelle des aliments au-delà d'un emploi généreux d'huile d'olive, de sauge, de romarin ou de basilic et bien sûr de la tomate, que l'on retrouve dans de nombreux mets. Rendons tout de même cette justice aux produits du terroir: ils sont tout simplement magnifiques. Pour vous en convaincre, allez donc flâner un matin du côté du marché de San Lorenzo ou de la Piazza Santo Spirito.

Du maestro à la mamma

De l'établissement de luxe à la modeste *trattoria* familiale, on trouve tous les genres de restaurants. Chaque établissement doit porter la TVA *(I.V.A.)* sur l'addition; conservez ce *conto*: faute de pouvoir le produire, en cas de contrôle à la sortie du restaurant, vous risquez une amende. L'addition comporte ordinairement le couvert *(coperto)* et le service *(servizio);* laissez 10% de pourboire au garçon. La plupart des établissements, excepté les *trattorie* bon marché, proposent un menu «sûr» bien que peu varié, à prix fixe, comportant trois plats, dit *menù turistico*. Les étudiants titulaires de cartes internationales bénéficient de réductions dans certains restaurants. Consultez le garçon à ce sujet.

Vous trouverez également des établissements qui offrent un service rapide au comptoir *(tavola calda)*, et une multitude de libre-service.

Et si vous êtes en quête d'une ambiance et d'accents typiquement toscans, allez du côté du Ponte Vecchio, de Santo Spirito, Santa Croce ou San Lorenzo. Ceux qui ne craignent pas l'aventure culinaire voudront essayer une tranche de *polenta* (bouillie de maïs) frite, un *crostino* (foie de poulet sur du pain frit) ou au moins un beignet de pâte *(bombolone)* dans une *friggitoria* (stand de friture). De quoi se mettre l'estomac en fête!

La cuisine florentine est connue pour sa simplicité raffinée.

Hors-d'œuvre

Entre toutes les entrées italiennes habituelles, choisissez des spécialités locales comme le *prosciutto crudo con fichi* (jambon cru aux figues fraîches), les *crostini*, la *fettunta* (pain de campagne grillé, frotté d'ail et arrosé d'huile d'olive), la *minestra di fagioli* (épaisse soupe aux haricots), le *mines-*

trone (soupe de légumes encore plus épaisse) et la *ribollita* (soupe aux légumes à base de pain), servie chaude, ou froide en été.

Parmi les quelque 360 variétés de pâtes italiennes, goûtez les *pappardelle* (nouilles larges, servies pendant la saison de la chasse avec une sauce au lièvre), *paglia e fieno* («paille et foin») – mélange de pâtes vertes et blanches), *ravioli con panna* (ravioli à la crème) et, bien sûr, les populaires *lasagne* ou *tortellini*.

Viandes et poissons

Il est impératif d'essayer, au moins une fois, la fameuse *bistecca alla fiorentina*, énorme et savoureuse côte de bœuf grillée au charbon de bois, servie avec du citron. C'est toujours cher: faites-vous présenter la pièce avant sa cuisson et indiquer le poids (le prix au kilo doit normalement figurer sur la carte). Goûtez encore à l'*arista* (filet de porc rôti), au *bollito di manzo* ou seulement *lesso* (bœuf bouilli servi avec une sauce piquante), aux *trippe alla fiorentina* (tripes au jambon, tomates et parmesan), au *fritto misto alla fiorentina* (différentes viandes grillées) et à toutes les sortes de foie *alla fiorentina*, sauté et parfumé de sauge et de romarin.

Le poulet *(pollo)* revient régulièrement dans la cuisine toscane, et vous en mangerez probablement *alla cacciatora* (avec tomates et légumes), *alla diavola* (grillé au charbon de bois), *arrosto* (rôti), ou encore sous forme de *petti di pollo saltati* ou *fritti* (blancs de poulet sautés ou frits).

On insiste moins sur le poisson dans les menus florentins, mais vous trouverez presque à coup sûr le *baccalà alla fiorentina* (bon ragoût de cabillaud) et le savoureux *cacciucco* de Livourne (rouget ou autre poisson cuit dans une sauce à base de tomate, oignon, ail et vin rouge), servis sur des croûtons frottés d'ail.

Légumes

En Italie, les légumes *(contorno)* sont habituellement servis et facturés à part. Essayez les *carciofini fritti* (artichauts frits, croquants), la *frittata di carciofi* (omelette d'artichauts) ou, en automne, une assiettée de champignons grillés *(funghi)*. Goûtez aux *fagiolini* ou aux *fagioli all'uccelletto* (sauté de haricots verts ou blancs à la tomate et à la sauge), *al fiasco* (mêmes ingrédients, mais braisés), ou *alla fiorentina* (bouillis, additionnés d'huile, de sel et de poivre, servis tièdes), ou prenez

simplement une *insalata mista* (salade panachée).

Desserts

L'on ne saurait mieux satisfaire sa gourmandise qu'en dégustant une tranche de *zuccotto* (un biscuit au chocolat imbibé de liqueur et rafraîchi) ou une tranche de *torta* (tarte) ou plus simplement un *frutta di stagione* (fruit de saison). A moins que vous n'achetiez une tranche de pastèque *(anguria* ou *cocomero)* à l'un de ces éventaires pittoresques installés un peu partout dans la ville. Ne résistez pas à la tentation d'une glace *(gelato),* c'est impératif, à Florence (voir p. 95).

Pique-nique

Si vous avez envie de changer des *trattorie* et des snacks, emportez votre pique-nique parmi les statues de la Loggia dei Lanzi, dans les jardins Boboli, à Fiesole ou sur la terrasse de San Miniato, avec tout Florence à vos pieds. Achetez du pain, des fruits et de la charcuterie *(pizzicheria).* Regorgeant du sol au plafond de beaux produits qui vous mettent «l'eau à la bouche» – il est amusant d'y entrer, rien que pour voir –, les boutiques stockent littéralement tout ce qui peut être mangé ou bu, y compris le vin et les boissons **93** non alcoolisées; on y trouve très souvent de petits pains à sandwich *(panino ripieno)* qu'on vous garnira aimablement de ce que vous aurez acheté.

Le pique-nique est aussi le meilleur moyen de goûter à toutes sortes de spécialités que vous ne trouveriez pas facilement ailleurs: le *finocchiona,* salami toscan parfumé à l'ail et au fenouil, toute la gamme de jambons fumés, salamis et mortadelles italiens; des fromages délicats et parfumés tels que la *ricotta* (fromage blanc crémeux), le *stracchino,* le *pecorino* (chèvre piquant), le *caciotta,* le *provola* (frais ou fumé) et, bien entendu, le *gorgonzola,* le *parmigiano,* ou *grana,* qui se mange tel quel lorsqu'il est jeune, plutôt que râpé. Souvenez-vous que tous les magasins d'alimentation sont fermés le mercredi après-midi.

Par grande chaleur
Si la chaleur de l'été de la ville freine votre appétit, vous pouvez toujours vous rabattre sur les boissons. D'une manière générale, Florence manque de ces grands cafés à terrasse où l'on peut s'asseoir et se détendre; mais les cafés à la mode – Piazza della Signoria et Piazza della Repubblica –

sont les endroits où il faut aller pour l'apéritif ou les rendez-vous.

De toute façon, vous ne serez jamais à court pour étancher votre soif à Florence: avec l'excellente bière italienne *(birra),* les apéritifs et les cocktails, le jus glacé de tamarinier *(tamarindo),* les bitters sans alcool, les fruits pressés *(spremuta),* les frappés aux fruits *(frullato),* le café ou le jus de citron versé sur du granité *(granita).* Pour les enfants,

il y a partout des limonades à l'orange ou au citron *(aranciata* ou *limonata)* et bien sûr un choix ahurissant de glaces *(gelato).* Les meilleures se vendent du côté du Ponte Vecchio, de la Piazza delle Cure, Via de' Calzaiuoli ou Piazza San Simone.

Vins et spiritueux

Pour beaucoup de gens dans le monde entier, le Chianti est synonyme de vin italien. Le premier cru de la Toscane est cultivé sur les collines autour de Florence, à Pistoia, Pise, Sienne et Arezzo.

Les pittoresques, mais pratiques *fiaschi* habillés de paille – les plus célèbres bouteilles de vin du monde – évoquent instantanément le soleil de l'Italie. Avec l'augmentation des prix, ce morceau de folklore va tristement devoir céder la place

La pizzicheria *vous réserve un choix imposant de spécialités.*

à d'affreuses imitations en plastique.

Le Chianti, vin rouge et léger, peut accompagner presque tous les plats. Le prix et la qualité sont variables, mais ce vin se révèle toujours acceptable et, parfois, supérieur. Si vous voulez goûter un Chianti de réelle qualité *(Chianti Classico)* provenant directement des meilleurs vignobles de Toscane, assurez-vous que le goulot de la bouteille est cacheté d'un coq noir ou d'un ange.

Si vous êtes passionné de viticulture et d'œnologie, joignez-vous à l'une de ces visites organisées des plus belles caves de Chianti, aux gigantesques tonneaux de chêne, remplies de millions de bouteilles. Par la même occasion, vous découvrirez en chemin de merveilleux paysages (de juillet à octobre; renseignez-vous auprès de l'office du tourisme – voir p. 117).

L'appellation Chianti a été étendue à un vin similaire, le *Rufina,* ainsi qu'au *Montalbano,* tous deux dignes d'être goûtés. Parmi les autres rouges légers, le *Montecarlo* et le *Brolio,* l'*Aleatico di Porto-ferraio* (de l'île d'Elbe), un étonnant rouge un peu amer, le *Nobile di Montepulciano,* et le délicat et sec *Brunello di Montalcino.*

Au nombre des rares vins blancs de Toscane, on citera, outre deux excellents vins secs, le *Vernaccia di San Gimignano* et le *Montecarlo,* le *bianco dell'Elba,* plus doux. (L'île d'Elbe fut longtemps une possession toscane prisée pour ses vins.) D'Elbe provient aussi toute une gamme de *spumante* blancs (vins mousseux), bienvenus pour une fête.

Si vous préférez boire autre chose, outre la bière, le choix en eaux minérales, naturelles ou gazeuses, est grand. L'eau du robinet, fortement chlorée, est désagréable au goût.

Les Toscans aiment terminer le repas par un petit verre de *Vinsanto* («vin sacré»), doux et ambré. Si vous avez la chance d'être accueilli chez un fermier ou dans une famille, vous serez presque sûrement reçu avec un verre de *Vinsanto* à n'importe quelle heure du jour. La plupart des bars et cafés le servent au verre.

Vous trouverez un choix étourdissant d'apéritifs, de digestifs, de bitters *(amari),* dont les Italiens sont friands, de cognacs et d'alcools étrangers (le Scotch est étonnamment bon marché), et aussi de curieuses liqueurs d'herbes distillées chez les moines. Mais vous n'aurez jamais le temps de goûter à tout!

Pour vous faire servir...

Bonsoir. J'aimerais une table.
Avez-vous un menu à prix fixe?
Je voudrais...

**Buona sera. Vorrei un tavolo.
Avete un menù a prezzo fisso?**
Vorrei...

beurre	**del burro**	poisson	**del pesce**
bière	**una birra**	pommes de	**delle patate**
café	**un caffè**	terre	
crème	**della panna**	salade	**dell'insalata**
cuillère	**un cucchiaio**	serviette	**un tovagliolo**
dessert	**un dolce**	soupe	**una minestra**
eau	**dell'acqua**	sucre	**dello zucchero**
minérale	**minerale**	thé	**un tè**
fruit	**della frutta**	verre	**un bicchiere**
glace	**un gelato**	viande	**della carne**
lait	**del latte**	vin	**del vino**

... et pour lire le menu

aglio	ail	**lamponi**	framboises
agnello	agneau	**maiale**	porc
anguilla	anguille	**manzo**	bœuf
anitra	canard	**melanzana**	aubergine
antipasto	hors-d'œuvre	**peperoni**	poivrons,
arrosto	rôti		piments
baccalà	morue salée	**pesce**	poisson
bistecca	steak	**pollo**	poulet
braciola	côtelette	**prosciutto**	jambon
calamari	calmars	**crudo**	cru
carciofi	artichauts	**cotto**	cuit
cipolle	oignons	**risotto**	risotto
coniglio	lapin	**rognoni**	rognons
fagioli	haricots	**salsa**	sauce
fegato	foie	**sogliola**	sole
formaggio	fromage	**spinaci**	épinards
fragole	fraises	**stufato**	ragoût
frittata	omelette	**triglia**	rouget
frutti di	fruits de mer	**trippe**	tripes
mare		**uova**	œufs
funghi	champignons	**vitello**	veau
gamberi	langoustines	**zuppa**	soupe

97

BERLITZ-INFO

Comment y aller

Dans ce chapitre, nous nous efforçons de vous donner les toutes dernières informations au sujet des vols, de leurs fréquences et des prestations offertes aux voyageurs. Mais l'évolution en la matière est si rapide que ce que nous imprimons aujourd'hui peut s'avérer caduc demain.

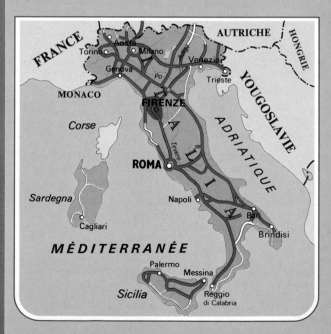

Aussi, pour être sûr de toutes les possibilités existantes, adressez-vous à votre agent de voyages.

PAR AVION

Vols réguliers

L'aéroport de Pise-Florence (voir p. 103) n'est pas obligatoirement desservi par les compagnies étrangères. Aussi est-il souvent nécessaire de changer à Milan.

Au départ de la Belgique. De Bruxelles, vous avez chaque jour cinq ou six vols non stop pour Florence (en 1 h. 50) et plusieurs pour Milan (en 1 h. 25). Pour Pise, il y a une liaison quotidienne avec changement à Francfort (en 4 h. 45).

Au départ du Canada (Montréal). Il y a deux à quatre vols non stop hebdomadaires à destination de Rome (en 8 h. 10 environ). Il est également possible de rejoindre Florence en changeant d'avion à Paris. Pour Pise, il existe des liaisons quotidiennes *via* Londres (en 10 h. 20) et hebdomadaires *via* Paris (trois vols, en 9 h. 40).

Au départ de la France. Chaque jour, un vol relie Paris à Florence (en 2 h. 25), tandis que la ligne Paris–Pise est desservie une ou deux fois par semaine (en 1 h. 40). Vous habitez la province? Selon votre point de départ, vous pouvez avoir intérêt à gagner d'abord Paris. Mais, d'autre part, plusieurs grandes villes sont reliées à Milan (certaines même quotidiennement): Bordeaux, Lyon, Marseille, Nice, Strasbourg et Toulouse.

Au départ de la Suisse romande. Un ou deux vols quotidiens relient Genève à Milan. A l'heure où nous mettons sous presse, il faut cinq heures et demie au minimum pour aller de Genève à Florence *via* Milan!

En Italie même. L'aéroport de Pise-Florence est relié une ou plusieurs fois par jour à Milan (en 45 min.), à Palerme (en 1 h. 10), à Rome (en 45 min.), etc.

Tarifs spéciaux, vols charter, voyages organisés

Il existe divers tarifs spéciaux, valables sur les vols réguliers: ainsi, les tarifs «excursion» (validité trois mois), «PEX» («APEX», au départ du Canada), «SUPER PEX» au départ de Paris, etc. D'autre part, de nombreux vols charter desservent l'Italie.

La formule du «tour tout compris» est par ailleurs intéressante, financièrement parlant (voyage en avion, en train ou en autocar).

Certaines compagnies aériennes proposent, à destination de Milan ou de Rome, des voyages «Fly-Drive», une solution fort intéressante.

PAR FER

Tous les trains s'arrêtent à Florence, située sur l'axe Milan–Rome.

Bruxelles–Florence. L'*Italia-Express* achemine des voitures directes (places couchées ou assises), *via* Luxembourg, Bâle, le Gothard, Milan (en 16 h. environ).

Paris–Pise / Florence. Le *Palatino* dessert Pise en 12 h. De là, une correspondance avec Florence est assurée. Autre solution: le *TGV* de Paris à Lausanne, d'où la relève est prise par les trains *Eurocity* jusqu'à Milan; vous changez à Milan. Il faut compter 10 h. 30 de voyage. Ceux qui préfèrent voyager de nuit pourront prendre le *Galilei,* qui relie Paris à Florence *via* Lausanne et Milan en 12 h. 30 environ.

Genève / Lausanne–Florence. Il existe un service direct de nuit (Trans Euro-Nuit), avec voitures-lits (en 7 h.). Il ne faut pas plus de temps aux trains *Eurocity* (Monteverdi, Lutetia, Cisalpin, Lemano) pour relier journellement Genève / Lausanne à Milan et, de là, Florence (excellentes correspondances).

Si vous désirez gagner du temps sur la route des vacances sans pour autant renoncer à votre voiture, prenez un TAC (Train Autos Couchettes). Quelques relations intéressantes: Schaerbeek–Brigue ou Milan, Boulogne / Seclin–Milan, Paris–Milan.

Renseignez-vous sur les diverses facilités tarifaires offertes. Les cartes *Eurailpass, Student-Youthpass* (touristes non européens) et *Inter-Rail* sont reconnues en Italie. Les *Biglietti turistici di libera circolazione,* particulièrement avantageux, offrent aux touristes la possibilité de voyager à leur guise sur le réseau italien. Renseignez-vous d'autre part sur les *Biglietti kilometrici,* très avantageux.

D'autre part, les cartes *Rail Europ Senior* (à l'intention des personnes du troisième âge) et *Rail Europ Famille* sont valables en Italie. Les jeunes de moins de 26 ans, quant à eux, pourront bénéficier des importantes réductions qu'offre le billet international *BIJ / BIGE*.

PAR ROUTE

Bruxelles–Florence. L'itinéraire le plus court passe par Luxembourg, Mulhouse, Bâle, le Gothard, Bellinzone, Chiasso, Milan et Bologne, soit 1235 km.

Paris–Florence. Vous prenez l'autoroute jusqu'à Mâcon pour gagner Genève, le tunnel du Mont-Blanc (péage). Vous retrouvez l'autoroute près d'Aoste: de là, vous gagnez Milan, Bologne et Florence; soit

1115 km. Autre possibilité: rejoindre à Lyon l'itinéraire ci-dessous, soit 1195 km.

Lyon-Florence. Vous passez par Chambéry (autoroute), le tunnel routier du Fréjus, Turin, Alessandria, Gênes et Pise, soit 745 km.

Genève-Florence. Vous prenez l'autoroute Blanche, le tunnel du Mont-Blanc (péage). L'autoroute, qui reprend près d'Aoste, vous amène à Florence par Milan et Bologne, soit 630 km.

Lausanne-Florence. Par Brigue, le tunnel du Simplon (navettes ferroviaires), Milan et Bologne, soit 655 km.

Quand y aller

En dépit de sa situation au centre de la «botte italienne», Florence est, en été, l'une des villes les plus chaudes du pays avec des températures qui atteignent jusqu'à 38 °C à l'ombre. La période «redoutable» va de la mi-juin à la mi-septembre, avec une sécheresse accentuée.

Si vous êtes particulièrement attiré par les trésors artistiques et les ressources culturelles de Florence, mieux vaudrait y séjourner en avril-mai ou en septembre-octobre. La période de Pâques est également très animée alors réservez bien à l'avance votre voyage et hôtel. Il serait prudent de vérifier aussi dans votre agence de voyage les dates des divers défilés de mode du Fortezza da Basso à Florence, pendant lesquels les hôtels sont souvent complets.

		J	F	M	A	M	J	J	A	S	O	N	D
Température													
(maximum)	C	9	12	16	20	24	29	32	31	28	21	14	10
	F	48	53	59	68	75	84	89	88	82	70	57	50
(minimum)	C	2	2	5	8	12	15	17	17	15	11	6	3
	F	35	36	40	46	53	59	62	61	59	52	43	37

Les chiffres indiqués ci-dessus expriment des moyennes mensuelles.

Pour équilibrer votre budget...

Pour vous donner une idée du coût de la vie à Florence, voici quelques prix moyens, naturellement exprimés en lires (L.). Ces prix, compte tenu de l'inflation et de considérables variations saisonnières, n'ont bien entendu qu'une valeur indicative.

Aéroport (transfert). En train de l'aéroport de Pise à Florence L. 5700.

Alimentation. Pain (la livre) L. 1225, beurre (la ½ livre) L. 2480 et plus, œufs (la ½ douz.) L. 590, steak (la livre) L. 8950–12 000, café (la ½ livre) L. 3430 et plus, vin (la bouteille) L. 4000 et plus.

Auberges de jeunesse (la nuit, petit déjeuner compris). L. 16 400.

Bus (Florence et banlieue). Tarif unique L. 800.

Camping (en haute saison). Adultes L. 7150 par personne et par nuit, enfants L. 4200; caravane/*motorhome* L. 8500, voiture et tente L. 12 200, moto L. 2200.

Cigarettes (paquet de 20). Marques italiennes L. 2200 et plus, importées L. 3350 et plus.

Coiffeurs. *Dames:* shampooing et mise en plis/brushing L. 25 000–35 000, permanente L. 55 000–80 000. *Messieurs:* coupe L. 17 000, avec shampooing L. 25 000.

Distractions. Cinéma L. 10 000, discothèque (entrée et première consommation) L. 35 000.

Gardes d'enfants. L. 15 000–18 000 l'heure.

Hôtels (chambre double avec bains, taxe et service inclus). ***** L. 450 000–600 000, **** L. 300 000–400 000, *** L. 100 000–200 000, ** L. 70 000–100 000, * L. 50 000–70 000.

Location de voitures (firmes internationales). *Fiat Uno* L. 100 000 par jour, L. 580 000 par semaine avec kilométrage illimité. *Fiat Tipo* ou *Alfa 33* L. 115 000 par jour, L. 650 000 par semaine avec kilométrage illimité. *Alfa 75* L. 150 000 par jour, L. 820 000 par semaine avec kilométrage illimité. Taxe comprise.

Musées. L. 5000.

Repas et boissons. Petit déjeuner L. 10 000–25 000, déjeuner/dîner dans un bon établissement L. 35 000–84 000; café pris au bar L. 1100–2200, à une table L. 2500–5000, bouteille de vin L. 7500 et plus, boissons sans alcool L. 2000 et plus, apéritifs L. 2500 et plus.

Informations pratiques classées
de A à Z pour un voyage agréable

Une étoile (*) apposée au titre d'une rubrique renvoie à la page 102 pour une indication de prix.

Le titre de certaines rubriques importantes est suivi de sa traduction en italien (en général au singulier). En outre, des expressions clefs, disposées à la fin de plusieurs rubriques, vous rendront service lorsque vous voudrez demander de l'aide ou solliciter un renseignement.

AEROPORT* *(aeroporto).* Le grand aéroport le plus proche est celui de Galileo Galilei (San Giusto), qui est relié à Florence par un service ferroviaire – un train port toutes les heures et le trajet demande une heure. Sinon, vous pouvez louer une voiture à l'aéroport pour faire le trajet, en une heure également.

A

Porteur!	**Facchino!**
Portez-moi ces bagages	**Mi porti queste valige fino**
jusqu'au bus/train/taxi,	**all'autobus/al treno/al taxi,**
s'il vous plaît.	**per favore.**
A quelle heure part le train	**A che ora parte il treno**
pour Florence?	**per Firenze?**

ARGENT

Monnaie. La *lira* (pluriel *lire,* en abrégé *L.* ou *Lit.*) est l'unité monétaire italienne.

Pièces: 5, 10, 20, 50, 100, 200 et 500 lires.

Billets: 1000, 2000, 5000, 10 000, 50 000 et 100 000 lires.

Pour les restrictions de devises, reportez-vous à FORMALITÉS D'ENTRÉE ET CONTRÔLES DOUANIERS.

Horaires des banques. Ces établissements sont ouverts de 8 h. 20 à 13 h. 20 du lundi au vendredi.

Bureaux de change *(cambio).* Certains ouvrent le samedi matin. Le dimanche et les jours fériés, le guichet de change de la gare de Santa

103

A Maria Novella est toujours ouvert. Enquérez-vous du cours du jour auprès de plusieurs banques et bureaux de change, car il est très variable.

Cartes de crédit et chèques de voyage. La plupart des grands hôtels, ainsi que nombre de restaurants et de magasins honorent les cartes de crédit, sans pour autant vous accorder de rabais particulier. Quant aux chèques de voyage, ils sont acceptés presque partout, et certains commerçants vous consentiront un rabais (jusqu'à 10%) si vous utilisez ce mode de paiement. Cela étant, cette «faveur» ne compensera pas nécessairement un taux de change généralement désavantageux. De même, à l'hôtel, ne payez ni en devises étrangères ni en chèques de voyage: là encore, le taux est d'ordinaire moins favorable que dans une banque ou un *cambio*.

Pour toute opération de change, n'oubliez pas de vous munir de votre passeport.

Les **eurochèques** sont acceptés partout en Italie.

Prix *(prezzo)*. Florence, comparée à bien des capitales européennes, reste relativement bon marché, sauf dans le centre (Via de' Tornabuoni, Via de' Calzaiuoli), quartier chic où les prix s'alignent sur ceux de Paris, New York ou Zurich. S'asseoir dans un bar ou un café et commander un *espresso* peut vous coûter cinq fois plus cher qu'au comptoir. Le cinéma et les parcours en calèche sont chers; en revanche, concerts et taxis sont à des prix raisonnables. Mais gare aux discothèques et aux boîtes de nuit, souvent ruineuses!

Quant aux musées et aux galeries, l'entrée en est toujours bon marché (voir p. 102, sous MUSÉES).

Pour vous faire une idée du coût de la vie en Italie, consultez POUR ÉQUILIBRER VOTRE BUDGET, p. 102.

Je désire changer des francs belges/français/suisses/des dollars canadiens.	**Desidero cambiare dei franchi belgi/francesi/svizzeri/dei dollari canadesi.**
Acceptez-vous les chèques de voyage?	**Accetta traveller's cheques?**
Puis-je payer avec cette carte de crédit?	**Posso pagare con questa carta di credito?**
Combien est-ce?	**Quanto costa questo?**

AUTO-STOP *(autostop)*. Un «sport» qui se pratique partout, en Italie, même sur les bretelles d'autoroutes, en dépit des panneaux d'interdiction. Un sport auquel les jeunes filles seules ne devraient pas

s'adonner. Cela dit, le «stop» marche bien en ce pays, et les auto-
mobilistes s'arrêtent volontiers.

Pouvez-vous m'emmener à ...?   **Può darmi un passagio fino a ...?**

BLANCHISSERIES et TEINTURERIES *(lavanderia; tintoria).* Il
vaut la peine de partir à la recherche des blanchisseries automatiques
et des teintureries florentines, car les prix pratiqués par les hôtels sont
exagérément élevés. Vous en trouverez les adresses dans les pages jaunes de l'annuaire, sous les rubriques *«Lavanderia»* et *«Tintoria»*, à
moins que le réceptionnaire de votre hôtel ne se charge de vous indiquer l'établissement le plus proche. Dans une laverie automatique,
vous paierez la même chose, que vous laviez votre linge vous-même ou
que vous vous en remettiez à la préposée.

Quand cela sera-t-il prêt?   **Quando sarà pronto?**
Il me le faut pour demain matin.   **Mi serve per domani mattina.**

CAMPING* *(campeggio).* Sur les six grands camps situés aux abords
immédiats de la ville, deux sont facilement accessibles en bus depuis le
centre. Pour toute information sur les aménagements de ces terrains,
adressez-vous à l'office du tourisme (voir p. 117).

Il est également possible, en ce pays, de camper ailleurs que sur des
terrains officiels, à condition d'obtenir l'autorisation du propriétaire
des lieux ou de la police. Il est conseillé, pour des raisons de sécurité,
de choisir des sites où d'autres campeurs sont déjà installés.

Pour entrer en Italie avec une caravane, il vous faudra produire un
inventaire (en deux exemplaires) des aménagements et du matériel
qu'elle contient.

Pouvons-nous camper ici?   **Possiamo campeggiare qui?**
Y a-t-il un camping près d'ici?   **C'è un campeggio qui vicino?**
Nous avons une tente/caravane.   **Abbiamo la tenda/la roulotte.**

CARTES et PLANS. Les kiosques à journaux et les offices du tourisme offrent un large choix en ce domaine. Les offices touristiques
proposent, en particulier, d'excellents plans et cartes (gratuits) de
Florence et de sa région. La cartographie du présent guide a été éla-

C borée par Falk-Verlag, à Hambourg, qui a publié d'autre part un plan détaillé de la cité des Médicis.

un plan de …	**una piantina di …**
une carte routière de la région	**una carta stradale di questa regione**

CIGARETTES, CIGARES, TABACS *(sigarette, sigari, tabacco)*.

L'Etat, qui s'en est réservé le monopole, en contrôle évidemment les prix; les marques étrangères coûtent jusqu'à 50% plus cher que les cigarettes nationales. Vous trouverez des tabacs blonds et bruns, ainsi que la plupart des grandes marques de cigares et de tabac pour la pipe.

Si vous demandez un *toscano,* vous recevrez un petit cigare noir, très fort, auquel les Florentins restent fidèles depuis plusieurs générations.

Les cigarettes italiennes les moins coûteuses sont en général jugées trop fortes par les fumeurs étrangers. Vous vous procurerez la majorité des marques étrangères dans pratiquement tous les tabacs *(tabaccheria)* voisins des hôtels. Officiellement, seuls les magasins portant en enseigne un grand «T» blanc sur fond sombre sont autorisés à vendre tabac et allumettes. De même que certains kiosques installés dans les grands hôtels, et quelques cafés.

Je voudrais un paquet de …	**Vorrei un pacchetto di …**
avec/sans filtre	**con/senza filtro**
Donnez-moi une boîte d'allumettes, s'il vous plaît.	**Per favore, mi dia una scatola di fiammiferi.**

COIFFEURS* POUR DAMES *(parruchiere)* ET POUR MESSIEURS *(barbiere).*

Les coiffeurs sont très nombreux à Florence, mais les dames auront intérêt à prendre rendez-vous. Quant aux prix pratiqués, ils s'échelonnent des tarifs élevés de la haute coiffure à ceux, tout à fait raisonnables, des salons de quartier. Comme dans la plupart des pays, on ne donne pas de pourboire au propriétaire du salon; la «pièce» à laisser à la coiffeuse, à la shampouineuse ou à la manucure peut atteindre 15% du montant de votre facture. Vous aurez la possibilité, dans de nombreux salons, de demander aussi un soin du visage, un massage ou encore de vous faire maquiller.

Je voudrais un shampooing avec mise en plis.	**Vorrei shampo e messa in piega.**
coupe	**un taglio**
rasage	**la rasatura**

106

brushing	**l'asciugatura al fono**
permanente	**la permanente**
coloration	**un cachet**
Pas trop dégagé, s.v.p.	**Non li tagli troppo corti, per favore.**
Un peu plus court (ici).	**Un po' di più (qui).**

CONDUIRE EN ITALIE

Entrée en Italie. Pour passer votre voiture, il vous sera demandé:

● un permis national valable (permis international pour les non-Européens)

● une carte grise (permis de circulation du véhicule)

● une carte verte (police d'assurance valable à l'étranger). Consultez votre agent d'assurances, au besoin

● un indicatif de nationalité et un triangle de panne

Nota: Avant votre départ, faites-vous indiquer par votre automobile-club les toutes dernières réglementations – la situation ne cesse en effet d'évoluer – à propos des bons d'essence *(buoni benzina);* ceux-ci valent aux touristes d'intéressantes réductions.

Règles de circulation. On roule, bien entendu, à droite, et l'on double par la gauche. Le trafic des voies principales a priorité sur les routes secondaires, mais cette règle, comme beaucoup d'autres, est souvent ignorée; aussi soyez prudent. Aux carrefours de routes de même importance, le véhicule venant de la droite est *théoriquement* prioritaire. Lorsque vous dépassez ou restez sur la piste de dépassement, enclenchez votre clignotant. Le port de la ceinture de sécurité est obligatoire depuis 1989.

Les autoroutes *(autostrada),* de même que la plupart des nationales, sont excellentes et, grâce à des tracés étudiés, elles se prêtent à une conduite rapide. Florence est l'un des points stratégiques du réseau autoroutier italien. L'autoroute du Soleil, qui irrigue le pays du nord au sud, permet des liaisons rapides avec Bologne, Milan, Rome et Naples.

Chaque section d'autoroute est soumise à un péage: à l'entrée, un distributeur automatique (parfois un employé) vous délivre une carte, et vous payez au moment de sortir. Autant que possible, préparez suffisamment de pièces pour être en mesure de faire l'appoint, car le personnel n'aime guère rendre la monnaie.

107

C

Les *autostrade* sont équipées de téléphones de secours (SOS), disposés tous les deux kilomètres. Il existe fréquemment, à l'extrême droite de la chaussée, une troisième piste, destinée aux véhicules lents.

Sur les routes de campagne et même sur les routes principales, vous verrez nombre de vélos, de scooters, d'engins à trois roues, voire des charrettes. Et il arrive souvent que ces véhicules lents circulent la nuit sans lumière.

Ajoutons à cela que les Italiens font un usage immodéré de leur avertisseur. Il s'agit là d'une sorte de jeu. On vous klaxonnera aussi: alors, à vous de klaxonner pour manifester votre présence!

Limitations de vitesse. La vitesse autorisée varie selon le type de route et la cylindrée du véhicule. Le tableau ci-dessous vous aidera à vous y retrouver.

Cylindrée	Autoroutes	Autres routes
Plus de 1000 cm²	130 km/h	90 km/h
Moins de 1000 cm²	110 km/h	90 km/h
Dans les agglomérations, la vitesse est généralement limitée à 50 km/h.		

Ces limitations de vitesse peuvent être modifiées en tout temps; vous avez donc intérêt à vous renseigner sur la question auprès de votre association automobile, avant votre départ.

Au volant à Florence. Le centre de Florence, qui se définit par un cercle d'avenues allant des deux côtés de la rivière Arno, est devenu une ZTL (*Zona traffico limitato* – zone à circulation limitée). Ceci est en vigueur entre 7 h. 30 et 18 h. 30 du lundi au samedi, et seuls les riverains munis d'un permis spécial ont le droit d'y entrer. En général, des agents de police sont postés aux entrées principales de ville pour empêcher les gens sans permis de passer. Vous ne pouvez y rentrer que pour aller à un hôtel. Demandez votre chemin à un agent de police, car il y a eu beaucoup de changements concernant les rues à sens unique. Faites attention, surtout aux croisements. Avancez doucement aux feux – même s'ils sont verts, n'assumez pas que vous avez la priorité.

Parking *(posteggio, parcheggio).* Même si vous arrivez à rentrer dans le centre historique après 18 h. 30 ou le dimanche, il est pratiquement impossible de s'y garer à moins de trouver une place dans un parking. Les parkings surveillés sont nombreux. Seuls les résidents ont le droit de se garer dans les rues. A part les parkings du centre, vous pouvez essayer à Porta Romana (rive gauche), Cascine (Piazza Vittorio Veneto) et Fortezza da Basso (Viale Filippo Strozzi). Un parking plus petit – mais pratique – se trouve Piazza Libertà. Si vous deviez vous garer dans le centre pendant la nuit, respectez le temps de stationnement autorisé. Les amendes sont devenues très importantes et la ville est équipée de camions spéciaux qui emmènent les voitures mal garées à la fourrière (Parco Macchine Requisite, Via Circondaria, 19). Si cela vous arrivait, appelez (ou demandez à votre hôtel de le faire) le 35 52 31 afin de localiser votre voiture, la rejoindre, et payer pour la récupérer.

Carburant et huile. C'est le gouvernement qui, en ce pays, fixe le prix du carburant. On trouve du super (indice d'octane 98–100), de l'ordinaire (86–88), de l'essence sans plomb (95, encore relativement rare) ainsi que du gazole. Quant à l'huile, il en existe au moins trois sortes. (A propos des bons d'essence, voir p. 107.)

Police de la route *(polizia stradale)*. Le plus souvent invisible, la police routière italienne circule à moto ou en Alfa Romeo. A l'entrée des villes et de nombreuses bourgades, un panneau indique le numéro de téléphone des *Carabinieri* ou de la police. La crise du pétrole et une législation plus stricte rendent les policiers plus vigilants: les excès de vitesse – péché favori des Italiens – sont sévèrement punis. Une autre pratique peu tolérée est celle qui consiste à «sauter un feu», c'est-à-dire à démarrer alors que le feu est encore rouge. Les amendes sont souvent exigibles «sur le vif»; demandez un reçu.

En cas d'accident sur la route, composez le 112 pour vous mettre en rapport avec les *Carabinieri*.

Si l'on vole votre voiture – ou quelque chose à l'intérieur de celle-ci –, prenez contact avec le quartier général de la police *(Questura)* de Florence, situé au 2 de la Via Zara. Votre déclaration sera alors officialisée et vous pourrez la présenter à votre propre assurance.

Pannes. Les garagistes, nombreux en Italie, n'aiment généralement guère travailler sur d'autres marques que «Fiat»; vous trouverez, bien entendu, des concessionnaires de marques étrangères et d'autres marques italiennes à Florence.

Sachez aussi que l'Automobile Club d'Italia a organisé un service de dépannage, qu'on peut atteindre en téléphonant au nº 116. Des téléphones de secours sont disposés à intervalles réguliers (tous les deux kilomètres) le long des *autostrade*.

Signalisation routière. Les signaux sont en général conformes à la pratique internationale. Certains panneaux portent cependant des inscriptions en italien. Voici la traduction de certains d'entre eux:

109

Accendere le luci	Allumez vos phares
Curva pericolosa	Virage dangereux
Deviazione	Déviation
Discesa pericolosa	Pente dangereuse
Divieto di sorpasso	Interdiction de dépasser
Divieto di sosta	Arrêt interdit
Lavori in corso	Attention: travaux
Parcheggio autorizzato	Stationnement autorisé
Passaggio a livello	Passage à niveau
Passaggio vietato ai pedoni	Interdit aux piétons
Pericolo	Danger
Rallentare	Ralentir
Senso vietato/unico	Sens interdit/unique
Vietato l'ingresso	Entrée interdite
Zona pedonale	Zone piétonnière
ZTL	Zone à circulation limitée

permis de conduire (international)	**patente (internazionale)**
permis de circulation	**libretto di circolazione**
carte verte	**carta verde**
Où est le parking le plus proche?	**Dov'è il parcheggio più vicino?**
Puis-je stationner ici?	**Posso parcheggiare qui?**
Sommes-nous sur la bonne route pour …?	**Siamo sulla strada giusta per …?**
Le plein, s'il vous plaît.	**Per favore, faccia il pieno.**
super/ordinaire (normale)	**super/normale**
sans plomb/gazole (diesel)	**senza piombo/gasolio**
Vérifiez l'huile/les pneus/ la batterie.	**Controlli l'olio/i pneumatici/ la batteria.**
Je suis en panne.	**Ho avuto un guasto.**
Il y a eu un accident.	**C'è stato un incidente.**

CONSULATS. Si votre pays n'est pas représenté dans la cité des Médicis (voir ci-dessous), vous vous adresserez à votre ambassade à Rome.

Belgique	Via dei Conti, 4; tél. 28 20 94
Canada	(Rome) Via G. Battista de Rossi, 27; tél. 84 15 341/2/3
France	Piazza Ognissanti 1; tél. 21 35 09
Suisse	Piazzale Galileo 5; tél. 22 24 34

Où se trouve le consulat belge/ canadien/français/suisse?	**Dov'è il consolato belga/ canadese/francese/svizzero?**

COURANT ELECTRIQUE *(corrente elettrica)*. Florence est désormais équipée en 220 volts. Il se peut que l'utilisation d'un appareil électrique étranger requière une fiche d'un autre type.

Je voudrais un adaptateur/ une pile.	**Vorrei una presa complementare/ una batteria.**

DECALAGE HORAIRE. L'Italie vit à l'heure de l'Europe centrale, soit GMT + 1, et, d'avril à septembre, elle adopte l'heure d'été (GMT + 2). A la belle saison, quand il est midi à Rome – comme à Paris, à Bruxelles ou à Genève –, il est 6 h. du matin à Montréal.

Quelle heure est-il?	**Che ore sono?**

EAU. Ici, l'eau du robinet, si elle n'a pas très bon goût, n'en est pas moins buvable. Les seules fontaines, ou presque, dont l'eau conserve un goût naturel sont celles de la cour intérieure du palais Pitti. D'ailleurs, vous y verrez des Florentins remplir bouteilles et autres récipients.

A table, buvez du vin ou de l'eau minérale. Véritable passion nationale, l'eau en bouteilles – aux vertus curatives très controversées – passe pour favoriser la digestion et prévenir bien des affections. Ce qui n'est certainement pas tout à fait faux. Le sens de l'expression *acqua non potabile,* qui figure près de certains robinets et fontaines, n'échappera à personne!

une bouteille d'eau minérale gazeuse naturelle	**una bottiglia di acqua minerale gasata naturale**

FORMALITES D'ENTREE et CONTROLES DOUANIERS *(dogana).* Pour un séjour n'excédant pas trois mois, les ressortissants belges, français, luxembourgeois et suisses n'ont besoin que d'une carte d'identité (ou d'un passeport périmé depuis moins de cinq ans). Quant aux Canadiens, ils doivent présenter un passeport valide.

Les douaniers italiens ne chercheront vraisemblablement pas à chicaner pour des vétilles. Ce qui les intéresse, ce sont les trafiquants d'œuvres d'art volées et maquillées, de pierres précieuses, de monnaie et, bien entendu, de drogue.

F   Pour quitter le pays avec des pierres précieuses, des œuvres d'art ou des pièces archéologiques, vous devrez présenter un certificat de vente et une autorisation du Département des beaux-arts (Ministero delle Belle Arti). Les démarches sont habituellement effectuées par le vendeur. Le tableau ci-dessous vous indique quelques denrées que vous pouvez importer en franchise.

	Cigarettes		Cigares		Tabac	Alcool		Vin
Italie 1)	300	ou	75	ou	400 g	1,5 l	ou	3 l
2)	200	ou	50	ou	250 g	0,75 l	et	2 l
3)	400	ou	100	ou	500 g	0,75 l	et	2 l
Belgique	200	ou	50	ou	250 g	1 l	et	2 l
Canada	200	et	50	et	900 g	1,1 l	ou	1,1 l
France	300	ou	75	ou	400 g	1,5 l	et	5 l
Luxembourg	200	ou	50	ou	250 g	1 l	et	2 l
Suisse	200	ou	50	ou	250 g	1 l	et	2 l

1) Résidents européens en provenance d'un pays de la CEE
2) Résidents européens en provenance d'un pays non membre de la CEE
3) Résidents de pays extra-européens

Restrictions de devises. Il n'y a pas de restriction sur l'importation ou l'exportation de lires italiennes ou de devises étrangères. Toutefois, les visiteurs qui amènent l'équivalent de L. 20 000 en Italie doivent les déclarer à la frontière en remplissant un formulaire de douane.

G   **GARDES D'ENFANTS*** *(bambinaia).* Adressez-vous au réceptionnaire de votre hôtel, généralement à même de vous proposer une garde de toute confiance. Il se peut d'ailleurs que votre femme de chambre s'en charge elle-même. A défaut, consultez l'unique agence privée de Florence.

Pouvez-vous me trouver une garde d'enfants pour ce soir?	**Può trovarmi una bambinaia per questa sera?**

GUIDES et INTERPRETES *(guida; interprete)*. La plupart des hôtels se chargent de vous trouver un interprète ou un guide. Vous pouvez aussi vous adresser à l'Associazione Guide Turistiche:

Cooperativo Giotto, Viale Gramsci, 9a; tél. 247 81 88

Nous aimerions un guide parlant français.
Desideriamo una guida che parla francese.

J'ai besoin d'un interprète français.
Ho bisogno di un interprete di francese.

HABILLEMENT. De mai à septembre, vous n'aurez besoin que de vêtements légers (en coton, de préférence). Les dames se muniront d'un châle ou d'une écharpe, bien utile parfois le soir, de même que pour les visites d'églises. Si le port du short, de la mini-jupe ou du «dos nu» n'est pas toléré dans les lieux de culte, on y pénètre en revanche nu-tête.

HEURES D'OUVERTURE DES MUSEES

Casa Buonarroti. De 9 h. 30 à 18 h., du lundi au dimanche; fermeture le mardi.

Firenze com'era. De 9 h. à 14 h. du lundi au mercredi ainsi que le vendredi et le samedi, de 8 h. à 13 h. le dimanche et les jours fériés; fermeture le jeudi.

Galleria dell'Accademia. De 9 h. à 14 h. du mardi au samedi, jusqu'à 13 h. le dimanche et les jours fériés; fermeture le lundi.

Galleria degli Uffizi. De 9 h. à 19 h. du mardi au samedi, jusqu'à 13 h. le dimanche et les jours fériés; fermeture le lundi.

Museo della Fondazione Horne. De 9 h. à 13 h. du lundi au samedi, fermeture dimanche et jours fériés.

Museo Nazionale (Bargello). De 9 h. à 14 h., du mardi au samedi, de 9 h. à 13 h. les dimanches et jours fériés; fermeture le lundi.

Museo dell'Opera di Santa Maria del Fiore. De 9 h. à 19 h. 30 en été, de 9 h. à 18 h. en hiver, fermeture les jours fériés.

Museo di San Marco. De 9 h. à 14 h. du mardi au samedi, jusqu'à 13 h. le dimanche et les jours fériés; fermeture le lundi.

Palazzo Pitti. De 9 h. à 14 h. du mardi au samedi, jusqu'à 13 h. le dimanche et les jours fériés; fermeture le lundi.

Palazzo Vecchio (ou della Signora). De 9 h. à 19 h. du lundi au vendredi, de 8 h. à 13 h. le dimanche et les jours fériés; fermeture le samedi.

J **JOURS FERIES** *(festa)*. Les banques, les administrations, la plupart des commerces et certains musées restent évidemment fermés les jours de fête, de même d'ailleurs que le 24 juin (au moins la demi-journée), à l'occasion de la fête de Florence, qui correspond à celle du patron de la ville, saint Jean-Baptiste. Aux alentours du 15 août *(Ferragosto)*, tout ferme pour une semaine ou dix jours, à l'exception des hôtels, de quelques magasins, pharmacies, cafés et restaurants, certains sites touristiques importants restant aussi ouverts au public.

1er janvier	*Capodanno* ou *Primo dell'Anno*	Nouvel an
6 janvier	*Epifania*	Epiphanie
25 avril	*Festa della Liberazione*	Fête de la Libération
1er mai	*Festa del Lavoro*	Fête du Travail
15 août	*Ferragosto*	Assomption
1er novembre	*Ognissanti*	Toussaint
8 décembre	*Immacolata Concezione*	Immaculée Conception
25 décembre	*Natale*	Noël
26 décembre	*Santo Stefano*	Saint-Etienne
Date mobile:	*Lunedì di Pasqua*	Lundi de Pâques

Ouvrez-vous demain?   **È aperto domani?**

L **LANGUE.** Dans les grands hôtels et dans de nombreux magasins situés entre le Duomo et le Ponte Vecchio, on saura vous répondre en français. Ailleurs, quelques notions d'italien ou un langage gestuel suffiront, par exemple au marché et lors de vos rapports avec la police municipale! De toute manière, vos efforts linguistiques, même maladroits, seront très appréciés. (Le manuel de conversation Berlitz L'ITALIEN POUR LE VOYAGE et le dictionnaire de poche Berlitz ITALIEN–FRANÇAIS/FRANÇAIS–ITALIEN vous aideront à vous faire mieux comprendre.)

Pour ce qui concerne les cours d'été et les autres séjours linguistiques, consultez l'Office national italien du tourisme.

Parlez-vous le français?   **Parla francese?**
Je ne parle pas l'italien.   **Non parlo italiano.**

LOCATION DE VOITURES* *(autonoleggio)*. Votre hôtel vous donnera la liste des principales agences de location. Selon l'emplacement
114 de votre hôtel, vous pouvez demander qu'une voiture de location vous

soit amenée. Cependant, puisque les grandes compagnies de location se trouvent près de la gare, il est plus facile d'aller chercher votre voiture à pied. Si vous avez des bagages lourds, prenez un taxi à votre hôtel, allez ensuite chercher votre voiture ou la faire amener. On ne peut pas vous amener votre voiture à la gare, à cause de la construction d'un parking souterrain – il y est interdit de garer ou arrêter les voitures.

Les agences proposent généralement différents modèles de *Fiat*; les autres marques, italiennes ou non, sont plus rares. On vous demandera votre permis de conduire (âge minimal requis: de 18 à 25 ans, selon les loueurs). L'assurance responsabilité civile est obligatoire. Normalement, une garantie est exigible à la location du véhicule; mais les détenteurs de cartes de crédit en sont dispensés. En votre qualité d'étranger, vous pourrez bénéficier de tarifs spéciaux pour le week-end et d'un forfait avec kilométrage illimité, pour une location à la semaine. Demandez aussi s'il existe des tarifs saisonniers.

En principe, les agences sont prêtes à vous remettre la voiture à la porte de l'hôtel. Moyennant un supplément, certaines d'entre elles vous autoriseront à restituer le véhicule en question dans une autre ville italienne, voire en France ou en Suisse.

J'aimerais louer une voiture.	**Vorrei noleggiare una macchina.**
demain	**per domani**
pour un jour/une semaine	**per un giorno/una settimana**

LOGEMENT (voir aussi CAMPING). L'office du tourisme de Florence publie, chaque année, la liste des établissements hôteliers – **hôtels*** *(albergo),* **pensions** *(pensione)* et **auberges** *(locanda)* – de la ville et de ses environs immédiats. Cette liste précise, pour chaque établissement, sa classification (de 1 à 5 étoiles), ses aménagements, les prix qu'il pratique. Vous vous la procurerez auprès de la représentation de l'E.N.I.T. dans votre pays (voir OFFICES DU TOURISME) ou encore à Florence, à l'office du tourisme.

Du printemps au début de l'automne, il est prudent de réserver; le reste de l'année, vous vous logerez sans problème sauf pendant les foires commerciales. Pour trouver un hôtel, vous pourrez toujours vous rendre au guichet de l'I.T.A. (Informazioni Turistiche Alberghiere), à la gare (ouvert tous les jours, en principe de 9 h. à 20 h. 30).

Les prix présentés à la p. 102 se rapportent à des chambres doubles en haute saison, les tarifs hors saison étant sensiblement inférieurs. Pour une chambre à un lit, comptez de 60 à 70% du prix d'une chambre à deux lits. Le petit déjeuner vient en sus.

L   A moins que les prix ne soient indiqués *tutto compreso* (tout compris), les taxes et le service (20%) viennent s'ajouter à la note.

Quelques grands hôtels disposent d'une piscine, et certains établissements de la périphérie possèdent des courts.

Auberges de jeunesse* *(ostello della gioventù).* Avant de partir, contactez votre association nationale des auberges de jeunesse pour obtenir une carte de membre, utile si vous comptez loger fréquemment dans une auberge lors de votre séjour en Italie. A Florence, le secrétariat local de l'Associazione Italiana Alberghi per la Gioventù est situé:

Viale Augusto Righi, 2; tél. 60 03 15

En haute saison (juillet surtout), certaines institutions religieuses, telles que couvents et monastères, ouvrent aussi leurs portes à la jeunesse. Adressez-vous, là encore, à l'office du tourisme.

Hôtels de jour *(albergo diurno).* Florence possède deux établissements de ce genre, dont l'un à l'intérieur de la gare centrale (Stazione Centrale F.S.). Ces *alberghi,* où l'on peut louer une chambre pour se reposer quelques heures, disposent de salles de bains, de blanchisseries, etc.; ils ouvrent normalement de 6 h. du matin à 20 h., l'heure de fermeture étant avancée le dimanche.

Je voudrais une chambre double/ à un lit.	**Vorrei una camera matrimoniale/singola.**
avec bains/douche	**con bagno/doccia**

O   **OBJETS PERDUS** *(oggetti smarriti).* Si vous avez égaré ou perdu quelque chose en dehors de l'hôtel, priez le réceptionniste de contacter le Bureau des objets trouvés (Ufficio Oggetti Smarriti), ou rendez-vous au bureau central, sis:

Via Circondaria, 19

Les objets perdus dans le train sont apportés au 1, de la Piazza dell'Unità. Les chauffeurs de taxi ou de bus déposent habituellement à leurs centrales les objets oubliés dans leurs véhicules.

J'ai perdu mon passeport/ portefeuille/sac.	**Ho perso il passaporto/ il portafoglio/la borsetta.**

OFFICES DU TOURISME. L'Office national italien du tourisme, l'Ente Nazionale Italiano per il Turismo (E.N.I.T.), dispose de représentations dans de nombreux pays. Quelques adresses à cet égard:

116 **Belgique:**   176, avenue Louise, Bruxelles; tél. (2) 647 11 54/17 41

Canada:	1, place Ville-Marie, Suite 2414, Montréal H3B 3M9, Qué.; tél. (514) 866 76 67/8/9
France:	23, rue de la Paix, 75002 Paris; tél. (01) 42 66 66 68 14, avenue de Verdun, 06048 Nice; tél. (093) 87 75 81
Suisse:	3, rue du Marché, 1204 Genève; tél. (022) 28 29 22/23

A **Florence,** adressez-vous à l'office du tourisme:

Via Cavour I/R, 50129 Firenze; tél. 276 03 82.

Vous souhaitez visiter une ferme, ou un domaine produisant du chianti? Alors, prenez contact avec Agriturist:

Piazza S. Firenze, 3; tél. 28 78 38

Service d'assistance téléphonique: Où que vous soyez en Italie, le nº 116 se tient à votre disposition pour tout renseignement. Bien plus, le personnel de ce service, qui parle plusieurs langues dont le français, se fait un devoir de fournir conseils et aide aux personnes qui, pour une raison ou pour une autre, se trouvent dans l'embarras.

Où est l'office du tourisme? **Dov'è l'ufficio turistico?**

PHOTOGRAPHIE. Dans le centre-ville, bien des problèmes se posent au photographe amateur: il est en effet difficile d'avoir un recul suffisant pour saisir un monument ou une église... il en manquera presque toujours un pan! Mais soyez optimiste, vous réussirez certainement de très bons clichés, même avec un appareil de poche.

En été, les heures les plus propices sont celles du début de la matinée et de la fin de l'après-midi pour les prises de vues panoramiques (depuis la Piazzale Michelangelo).

Tous les musées nationaux autorisent la photographie, à condition de ne pas user du flash, ni du trépied. Dans les musées municipaux, en revanche, vous ne pourrez pas prendre de photos sans autorisation spéciale.

J'aimerais un film pour cet appareil.	**Vorrei una pellicola per questa macchina fotografica.**
un film en noir et blanc	**una pellicola in bianco e nero**
un film en couleurs	**una pellicola per fotografie a colori**
un film de diapositives	**una pellicola di diapositive**
un film 35 mm	**una pellicola trentacinque millimetri**
super-8	**super otto**

P

Combien de temps vous faut-il pour développer ce film? Puis-je prendre une photo?	**Quanto tempo ci vuole per sviluppare questa pellicola? Posso fare una fotografia?**

POLICE. La police municipale florentine, les *Vigili Urbani,* règle la circulation, «distribue» les amendes et s'acquitte, comme tous les représentants de l'ordre, de diverses tâches de routine. Ces «vigiles», qui ne parlent que rarement une langue étrangère, se montrent généralement très courtois et serviables envers les touristes.

Vêtus de brun clair ou de bleu et coiffés de casquettes, les *Carabinieri,* corps de police paramilitaire, s'occupent des délits graves et des manifestations de rues. En dehors des agglomérations, la *Polizia Stradale* patrouille le long des routes (voir CONDUIRE).

Quelques numéros de téléphone utiles:

Vigili Urbani (Questura – Q.G.)	49 771
Carabinieri (urgences)	112
Polizia Stradale	57 77 77
Voitures volées	36 911

Il existe également un numéro d'urgence, le 113, à composer si vous avez besoin de l'aide de la police.

Où est le poste de police le plus proche?	**Dov'è il più vicino posto di polizia?**

POSTES et TELECOMMUNICATIONS

Les **bureaux de poste** *(ufficio postale)* acheminent, outre le courrier et les mandats, les télégrammes; un certain nombre disposent par ailleurs de cabines téléphoniques. Pour acheter des timbres, vous pourrez également vous rendre dans un débit de tabac (*tabaccheria,* à l'enseigne «T») et dans certains hôtels.

Les boîtes aux lettres sont rouges. Vous glisserez dans la fente portant l'indication *Per la città* votre courrier à destination de Florence, et dans la fente marquée *Altre destinazioni* vos lettres et cartes pour l'Italie ou l'étranger.

Heures d'ouverture. Les bureaux de poste sont normalement ouverts de 8 h. 15 à 13 h. 40 du lundi au vendredi, et jusqu'à midi le samedi.

Le bureau de la Via Maso Finiguerra est bien situé et offre tous les services entre 8 h. et 18 h. 30, sans interruption. Les autres bureaux principaux, tels ceux de la Via Pellicceria (à deux pas de la Piazza della Repubblica) et du Viale Belfiore, restent ouverts jusqu'à 19 h., mais ils n'offrent alors qu'un service réduit (dépôt des recommandés, en particulier). D'autre part, l'office de la Via Pellicceria assure, vingt-quatre heures sur vingt-quatre, une permanence pour les télégrammes et le téléphone; sonnez si l'entrée principale est fermée.

Poste restante. A moins que cela ne soit absolument indispensable, évitez de vous faire expédier du courrier à Florence. Surtout lors d'un court séjour. Les postes italiennes ne sont en effet pas toujours sûres. Il sera plus facile de vous atteindre à votre hôtel par télégramme ou téléphone. Au cas où vous feriez un long séjour à Florence, vous pourriez faire envoyer votre courrier à la poste restante *(fermo posta)* du bureau de la Via Pellicceria (voir plus haut). N'oubliez pas de vous munir de votre passeport.

Télégrammes *(telegramma)*. Les bureaux de poste les plus importants (voir plus haut) en assurent l'acheminement vingt-quatre heures sur vingt-quatre. On peut les envoyer, ainsi que les télex, à des destinations en Italie ou ailleurs. Il y a un service de télécopieuse (fax) de plus en plus répandu.

Paquets *(pacco)*. Envoyer un paquet de l'Italie suppose une procédure si compliquée que vous avez avantage à vous renseigner auprès du réceptionnaire de votre hôtel ou directement à la poste.

Téléphone *(telefono)*. La ville est parsemée de cabines téléphoniques vitrées. Bars et cafés ont presque tous un téléphone public, signalé par une enseigne jaune représentant un cadran téléphonique. Certaines cabines, parmi les plus anciennes, n'acceptent que des jetons *(gettoni)*, que l'on peut se procurer dans les bars, les hôtels, les bureaux de poste et les tabacs; il existe aussi des distributeurs, situés en général à proximité. Les cabines plus récentes, munies de trois fentes, acceptent les jetons, les pièces et les cartes téléphoniques, que l'on peut se procurer dans les tabacs et quelques kiosques à journaux, moyennant L. 5000 ou 10 000.

Pour établir une communication internationale, vous pouvez soit user d'une cabine – d'où l'on peut d'ailleurs appeler n'importe quelle ville italienne –, soit vous rendre à la poste de la Via Pellicceria, à celle de la Via Pietrapiana ou de la gare, voire au Centro Telefonici Pubblici SIP (Via Cavour, 21).

Pour appeler, insérez la pièce, le jeton ou la carte téléphonique et décrochez le combiné; il arrive que la tonalité ne retentisse qu'au bout de quelques secondes. Un tut-tut-tut indique que le central est surchargé. S'il vous faut absolument obtenir une communication locale, composez le 197, attendez un son grave et les instructions pré-enregistrées qui suivent; composez alors votre numéro: votre interlocuteur sera averti de votre demande d'appel urgent.

P

119

P Quelques numéros utiles:

Renseignements (Florence et Italie)	12
Opératrice (Europe)	15
Opératrice (appels intercontinentaux)	170
Télégrammes	186

Donnez-moi ... jetons/ une carte téléphonique.	**Per favore, mi dia ... gettoni/ una scheda telefonica.**
Pouvez-vous me donner ce numéro à ...?	**Può passarmi questo numero a ...?**
Avez-vous du courrier pour ...?	**C'è posta per ...?**
Je voudrais un timbre pour cette lettre/carte.	**Desidero un francobollo per questa lettera/cartolina.**
exprès/par avion	**espresso/via aerea**
Je voudrais envoyer un télégramme à ...	**Desidero mandare un telegramma a ...**

POURBOIRES. Bien que le service soit porté sur l'addition dans la plupart des restaurants, il est d'usage de laisser un pourboire au serveur. De même, il convient de donner la pièce au chasseur, au portier, à la préposée au vestiaire, à l'employé de garage, etc. pour tout menu service rendu.

Le tableau ci-après présente quelques suggestions:

Porteur (à l'hôtel), par bagage	L. 1000
Femme de chambre, par jour	L. 1000–2000
Préposée aux lavabos	L. 300
Serveur	10%
Chauffeur de taxi	10%
Coiffeur	Jusqu'à 15%
Guide touristique	10%

R **RECLAMATIONS** *(reclamo)*. Se plaindre est un des passe-temps favoris des Italiens, mais une réclamation écrite entraîne inévitablement des complications bureaucratiques. A l'hôtel, dans un restaurant ou un magasin, les réclamations doivent être adressées au propriétaire ou au gérant de l'établissement.

Si l'on tarde à vous donner satisfaction, faites part de votre intention d'en référer à l'office du tourisme (voir la rubrique y relative) ou encore à la police (*Questura,* voir POLICE). Indiquer clairement votre intention de porter plainte *(denuncio)* devrait porter ses fruits, par exemple si l'on vous réclame un montant exagéré pour une réparation de voiture. Mais toute démarche risque de vous faire perdre plusieurs heures, voire des jours...

Afin d'éviter toute remise en cause, établissez toujours le prix à l'avance, en particulier avec les porteurs (à la gare). Si vous jugez le prix d'un trajet en taxi excessif, consultez les tarifs (en quatre langues) affichés dans toutes les voitures, détaillant les suppléments (surtaxe la nuit, les dimanches et jours fériés, etc.) qu'un chauffeur peut demander en sus du prix indiqué au compteur.

REGLES DE POLITESSE. En général peu formalistes, les Italiens apprécient cependant la courtoisie. En entrant ou en sortant d'un magasin, d'un restaurant ou d'un bureau, on salue d'un *buon giorno* (bonjour) ou d'un *buona sera* (bonsoir) à partir de 13 heures déjà. Pour demander un renseignement, utilisez la formule *per favore* (s'il vous plaît) et pour remercier, *grazie.* On vous répondra *prego* (je vous en prie). *Piacere* (enchanté) se dit au moment des présentations. Il faut bien connaître un Italien pour lui lancer un *ciao* en guise de «bonjour» ou d'«au revoir».

Comment allez-vous?   **Come sta?**
Très bien, merci.   **Molto bene, grazie.**

SIESTE. En hiver, à l'heure du déjeuner, la plupart des magasins ferment entre 13 h. et 15 h. 30. En été (juin–septembre) la pause s'allonge jusqu'à 16 h., et les magasins restent ouverts jusqu'à 20 h. Dans le centre, peu de magasins ferment à midi pendant la saison touristique (entre Pâques et septembre). Beaucoup de grands magasins et de supermarchés sont ouverts sans interruption, toute l'année.

SOINS MEDICAUX. Vous avez une assurance maladie? Contactez alors votre assureur pour savoir si d'éventuels frais d'hospitalisation et les notes d'honoraires de médecins italiens seraient couverts. Si tel n'est pas le cas, vous pourrez toujours contracter une assurance spéciale pour un court séjour en Italie, par exemple par l'intermédiaire de votre agence de voyages.

Si votre pays est membre du Marché commun, réclamez à votre office de Sécurité sociale le formulaire E111, qui vous permettrait, le cas échéant, de vous faire soigner dans un hôpital public.

Pharmacies *(farmacia).* La majorité d'entre elles observent l'horaire habituel des commerces; quelques-unes, dans le centre et à la

S périphérie, restent ouvertes toute la nuit. Il y en a en particulier une dans le hall principal de la gare de Santa Maria Novella. Pour les week-ends et jours fériés, le journal *La Nazione* publie la liste des pharmacies de garde; en outre, cette liste est affichée à la porte de chaque pharmacie. Voir aussi Urgences.

J'ai besoin d'un docteur/ dentiste.	**Ho bisogno di un medico/ dentista.**
J'ai mal ici.	**Ho un dolore qui.**
maux d'estomac	**il mal di stomaco**
fièvre	**la febbre**
insolation/coup de soleil	**una scottatura di sole/un colpo di sole**

T **TOILETTES.** De nombreux musées, galeries, restaurants, bars, cafés et grands magasins possèdent des toilettes publiques; les aéroports, les gares et les stations-service (au moins le long des autoroutes) en sont invariablement pourvus. Ces toilettes sont d'ordinaire signalées par la classique silhouette masculine ou féminine ou par l'abréviation W.C. Mais il se peut également que vous rencontriez les inscriptions *Uomini* ou *Signori* (Messieurs) et *Donne* ou *Signore* (Dames).

TRANSPORTS

Autobus* *(autobus).* Florence et sa banlieue sont desservies par une quarantaine de lignes. Pour tout renseignement – et pour obtenir un plan gratuit du réseau –, rendez-vous au bureau de l'A.T.A.F, Piazza del Duomo, 57r.

Les tickets de bus doivent être achetés dans les tabacs et les bars. Il est également possible d'acquérir des billets à prix réduit et des billets valables sur plusieurs sortes de transports permettant un nombre illimité de courses dans un temps donné. En montant dans le bus (par la porte avant à côté du chauffeur ou par la porte arrière – la porte centrale est réservée aux sorties), validez votre ticket à l'appareil rouge prévu à cet effet.

La Toscane est parcourue par plusieurs lignes d'autocars. Il existe par ailleurs des services routiers à destination de Rome, de Venise, etc.

Taxis *(taxi).* Vous pourrez en héler un dans la rue, l'appeler par téléphone (voir plus bas), ou vous rendre à l'une des stations. Les voitures sont jaunes et pourvues d'un taximètre. Le tarif est calculé selon la distance; viennent s'y ajouter diverses taxes (prise en charge, supplément de bagages, course de nuit).

Radio-taxi, tél. 4798 ou 4390.

Trains *(treno).* En Italie, les conducteurs de train essaient de tenir l'horaire, mais pas toujours avec succès. Si vous n'avez pas réservé, rendez-vous à la gare vingt minutes avant le départ afin d'être assuré de trouver une place assise. Les compartiments sont en effet souvent bondés.

Voici les différents types de convois circulant en Italie:

EuroCity (EC)	Rapide international avec voitures de 1re et de 2e classe; généralement avec supplément.
Intercity (IC)/ Rapido	Train interville très rapide; 1re classe uniquement (le prix du billet comprend la réservation obligatoire, les journaux et des rafraîchissements). ou Train rapide pour longue distance avec arrêts dans les villes principales; 1re et 2e classe; supplément.
Espresso (Expr.)	Train direct pour longs parcours desservant les villes importantes.
Diretto (Dir.)	Train plus lent que l'*Espresso,* avec arrêts plus fréquents.
Locale (L)	Train local s'arrêtant presque partout.
Metropolitana (servizi dedicati)	Train reliant les aéroports ou les ports de mer et les grands centres urbains.

Où est l'arrêt de bus le plus proche?	**Dov'è la fermata d'autobus più vicina?**
Quand part le prochain bus/train pour ...?	**Quando parte il prossimo autobus/treno per ...?**
Je voudrais un billet pour ...	**Vorrei un biglietto per ...**
aller simple/aller-retour première/seconde classe	**andata/andata e ritorno prima/seconda classe**
Pouvez-vous me dire quand je devrai descendre?	**Può dirmi quando devo scendere?**
Dois-je changer de train?	**Devo cambiare treno?**
Quel est le tarif pour ...?	**Qual è la tariffa per ...?**

U **URGENCES.** Il existe, à Florence, plusieurs numéros de téléphone en cas d'urgence; les principaux sont énumérés ci-dessous. Au besoin, priez la première personne venue de vous aider à formuler votre appel, ou alertez le personnel – polyglotte – du service d'assistance téléphonique, au nº 116 (voir OFFICES DU TOURISME).

Police-secours (urgences de toute nature)	113
Carabinieri	112
Assistance routière (A.C.I.)	116
Pompiers (pour toute l'Italie sauf Bolzano et Trente)	115
Urgences médicales (nuit et jours fériés)	43 61 541
Ambulance (premiers secours)	21 22 22

Selon la nature de l'urgence, reportez-vous également à diverses rubriques telles que CONSULATS, POLICE, SOINS MÉDICAUX.

Attention!	**Attenzione!**	Police!	**Polizia!**
Au feu!	**Incendio!**	Stop!	**Stop!**
Au secours!	**Aiuto!**	Au voleur!	**Al ladro!**

S'il vous plaît, pouvez-vous m'aider à appeler d'urgence ...?

Per favore, può fare per me una telefonata d'emergenza ...?

police	**alla polizia**
pompiers	**ai pompieri**
hôpital	**all'ospedale**

V **VOLS et DELITS.** Les touristes sont rarement victimes de délits graves. Même si les dames font peu souvent, c'est heureux, l'objet de voies de fait, mieux vaut «ne pas tenter le diable» et ne pas accepter de monter à bord d'un véhicule appartenant à quelque inconnu. Cela dit, les délits mineurs se multiplient dans toute l'Italie, par exemple les pickpockets travaillent fébrilement dans les bus, et les touristes fournissent, il faut bien le dire, aux voleurs des cibles faciles. Il suffirait pourtant, pour réduire les risques encourus, de s'en tenir à quelques précautions élémentaires:

● laissez à l'hôtel (de préférence dans le coffre de l'établissement) les documents et l'argent dont vous n'avez pas besoin

● emportez autant que possible des chèques de voyage plutôt que de l'argent liquide; conservez à part la liste récapitulative de vos opérations et des numéros de chèques (de même que votre passeport)

● ne tenez pas nonchalamment votre sac en bandoulière au bord du trottoir; des voleurs opérant à moto ou en auto pourraient vous l'arracher

124

- Mesdames: prenez un portefeuille à fermeture éclair et tenez-le près de vous. Messieurs: ne laissez jamais votre portefeuille dans votre poche arrière.

- ne laissez jamais, même pour quelques instants, d'objets de valeur sans surveillance ou simplement derrière votre dos, dans les aéroports, les gares, au restaurant, à la plage, etc.

- n'oubliez pas d'objets de valeur dans votre voiture, même pas dans le coffre, surtout en zone urbaine. Si vous devez quitter le volant et que vos bagages sont à bord, tâchez de garer en lieu sûr, de préférence sous la surveillance d'un gardien de parking

Si, en dépit de toutes ces précautions, vous êtes victime d'un vol, faites-en sans retard la déclaration à la police *(carabinieri)*, ne serait-ce que pour être en règle avec votre assurance; celle-ci en effet vous réclamera une copie du rapport de police (de même, si votre passeport vous est dérobé, votre consulat exigera une telle attestation). Déclarez également sans délai toute perte ou tout vol de chèques de voyage à la banque qui les a émis, afin qu'elle puisse faire immédiatement opposition.

QUELQUES EXPRESSIONS UTILES

oui/non	**sì/no**
s'il vous plaît/merci	**per favore/grazie**
pardon/je vous en prie	**mi scusi/prego**
où/quand/comment	**dove/quando/come**
hier/aujourd'hui/demain	**ieri/oggi/domani**
gauche/droite	**sinistra/destra**
grand/petit	**grande/piccolo**
bon marché/cher	**buon mercato/caro**
ouvert/fermé	**aperto/chiuso**
Je ne comprends pas.	**Non capisco.**
Qu'est-ce que cela veut dire?	**Cosa significa?**
Veuillez l'écrire, s'il vous plaît.	**Lo scriva, per favore.**
Garçon!	**Senta!**
Je voudrais...	**Vorrei...**
Combien coûte cela?	**Quant'è?**

Index

Les numéros suivis d'un astérisque (*) renvoient à une carte ou à un plan. Le sommaire des *Informations pratiques* figure en page 2 de couverture.